Franz Eppert

Deutsch mit Vater und Sohn

10 Bildgeschichten von e. o. plauen

für den Unterricht Deutsch als Fremdsprache

Hueber Verlag

Quellenverzeichnis
Seite 45:   Text „Die Fabel vom guten Menschen" aus: Kurt Schwitters, Das gesamte literarische Werk
© 1973, DUMONT Buchverlag Köln

Seite 69:   Gedicht „Tierischer Ernst" aus: Erich Fried, Um Klarheit. Gedichte gegen das Vergessen
© 1985 Verlag Klaus Wagenbach, Berlin

e.o. plauen. Eine kurze Biografie: Zeichnungen Erich Ohser

Die Bildgeschichten sind aus: e. o. plauen „Vater und Sohn", die Texte im Anhang 2 sind aus: „Der Vater und
seine Freunde", beide in Gesamtausgabe Erich Ohser; © Südverlag GmbH, Konstanz, 2000, mit Genehmigung
der Gesellschaft für Verlagswerte GmbH, Kreuzlingen / Schweiz

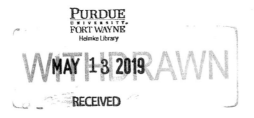
9. 8. 7. | Die letzten Ziffern
2018 17 16 15 14 | bezeichnen Zahl und Jahr des Druckes.
Alle Drucke dieser Auflage können, da unverändert,
nebeneinander benutzt werden.
1. Auflage
© 2001 Hueber Verlag GmbH & Co. KG, 85737 Ismaning, Deutschland
Umschlaggestaltung: Alois Sigl, Hueber Verlag, Ismaning
Zeichnungen: e. o. plauen
Druck und Bindung: Kessler Druck + Medien GmbH & Co. KG, Bobingen
Printed in Germany
ISBN 978–3–19–001636–5

Vorwort

Liebe Kolleginnen! Liebe Kollegen!

Seit 1971 und 1975 erfreuen sich die Vater-und-Sohn-Geschichten des bekannten Zeichners e. o. plauen im Hueber Verlag konstanter Beliebtheit. Sie haben sich im Unterricht Deutsch als Fremdsprache bewährt. Sie kommen bei jungen und nicht so jungen Deutsch Lernenden nachweislich – wie man so sagt – an! Und das wird auch so bleiben. e. o. plauen ist eben ein ausgezeichneter Karikaturist und ein Vater mit Herz.

Die neue Ausgabe **Deutsch mit Vater und Sohn** bietet eine Auswahl von 10 Geschichten, die sich nicht nur besonders gut für das Erzählen eignen, sondern auch wegen ihrer Thematik motivierend wirken und deshalb über das Erzählen hinaus reflektierende unterrichtliche Interaktion ermöglichen.

Die didaktischen Argumente und methodischen Vorschläge für den Einsatz von Bildgeschichten sind schon mehrfach überzeugend dargestellt worden. Ein Vorwort bietet dafür nicht genügend Platz. Der didaktischen Phantasie sind keine Grenzen gesetzt.

Die meisten Unterrichtenden werden es sicherlich vorziehen, zuerst einmal die Bildgeschichten ohne Hinzunahme des hier gebotenen Sprachmaterials anzubieten und damit zu arbeiten.

Bildgeschichten – wie andere Geschichten auch – wollen erzählt sein! Die Art und Weise, wie das Sprachmaterial dargeboten wird, d.h. die straffe Koppelung von Fragesequenz und Antwortmaterial auf dem Arbeitsblatt und die gezielten Übungen im Übungsteil dienen einem vorrangigen Lernziel: Die Lernenden sollen die Ereignisse auf einem Niveau erzählen können, das den Anforderungen des Zertifikats Deutsch entspricht. Nach etwa 20 bis 30 Unterrichtsstunden kann jede der Bildgeschichten erfolgreich eingesetzt werden, denn das Sprachmaterial auf dem Arbeitsblatt ist so angelegt, dass die Lernenden das finden, was sie brauchen, auch wenn bestimmte grammatische Phänomene noch nicht im Unterricht behandelt worden sind. Das Frage- und Antwortspiel einer möglichen ersten Unterrichtsphase kann leicht in Paaren oder kleinen Gruppen erarbeitet werden. Schnell merken die Lernenden, dass der Übungsteil ganz konkrete Hilfen bietet. Die scheinbar mühelose Bewältigung der Erzählaufgabe bringt dann immer ein willkommenes Erfolgserlebnis, das normalerweise sonst nicht so früh möglich ist. Fragen, Antworten, Erzählen aber sind nicht ausreichend für sprachliche Interaktion. Echte kommunikative Interaktion verlangt viele andere Strategien, z.B. wie man sprachlich etwas initiiert, korrigiert, vermeidet, wie man sprachliche und kommunikative Risiken eingeht und eine Fülle von Sprechakten und Sprechaktsequenzen vollzieht. Wenn die Unterrichtenden sich von der Anlage des Büchleins in Arbeitsblatt und Übungsteil, die bewusst für die Erzählaufgabe konzipiert ist, zu sehr gängeln lassen, dann wird ihr Unterricht ein typisch lehrer-orientierter Unterricht. Die Lehrenden dominieren und kontrollieren die Interaktion, was für die Lernenden ganz sicher zu Beginn eine willkommene Lernstütze und Lernhilfe bietet, auf die Dauer jedoch die Motivation reduziert, weil keine echte Interaktion stattfindet.

Deshalb sollte und wird sich der Unterricht selbst immer wieder durch das Spielen anderer Rollen über das Erzählen hinaus zur sprachlichen Interaktion und Reflexion über die Bildgeschichte und das Alltagsleben der Schüler entwickeln. Das kann nicht geplant werden. Das bleibt die Herausforderung an die Lehrenden. Die weiterführenden, variationsreichen Aufgaben und Aktivitäten bieten mannigfaltige Anregungen dafür.
Die Auswahl liegt bei Ihnen!

Viel Erfolg und Spaß!   Franz Eppert

Inhaltsverzeichnis

Anhang

Jedes der 10 Kapitel hat den gleichen Aufbau:

< **Die Bildgeschichte**

Und was damit tun? Was immer Sie wollen!
Wenn die Lernenden sprachlich fortgeschritten sind, kann sofort mit den
Aufgaben und Aktivitäten begonnen werden.

< **Das Arbeitsblatt**

Eine sorgfältige und detaillierte Darbietung des notwendigen sprachlichen
Materials für die Bewältigung der Erzählaufgabe. Ein Wörterbuch ist hier kaum
nötig. Die Lernenden finden fast immer, was sie brauchen.

< **Der Übungsteil**

Eine straff organisierte Reihe von Übungen als Vorbereitung für das freie münd-
liche oder schriftliche Erzählen auf dem Niveau des Zertifikats Deutsch.

< **Aufgaben und Aktivitäten**

Wir bieten an!

Zum Beispiel:

- Meinungen äußern und begründen (4, 5, 6, 7, 8, 9)
- kritisch beobachten (1, 2, 3, 6, 8, 9)
- urteilen und bewerten (4, 5, 6, 7, 9, 10)
- einfache und schwierige Sachverhalte klären (4, 5, 7, 9)
- alternative Texte erstellen (2, 4, 5, 6, 8, 9)
- Rollenspiele und Perspektiven wechseln (2, 3, 4, 5, 6, 7)
- Personen charakterisieren (3)
- Lebenserfahrungen beschreiben (2, 6, 9)
- Dialoge erfinden (5, 6)
- Briefe schreiben (9, 10)
- Telefongespräche führen (1)
- Wörterbücher benutzen (3, 4, 6)
- Fehler finden und korrigieren (5, 6, 7)
- über Sprache reflektieren (1)
- komplexe Begriffe erläutern (5)

Sie wählen aus!

1. Der Gute

Titel: gut ↔ schlecht

das Gute ~ das, was gut ist

der Gute ~ der, der gut ist

1

a. Wo sind Vater und Sohn?

    sein, ist, war, ist ... gewesen

        jemand ist irgendwo

    der Kai, -s

        am Kai

b. Was macht der Sohn?

    werfen, wirft, warf, hat geworfen

        jemand wirft etwas$_{AKK}$ irgendwohin

    der Stein, -e

    das Wasser *(kein Plural)*

        ins Wasser

c. Wie wirft der Sohn die Steine ins Wasser?

    der Schwung ~ eine Bewegung mit Kraft und Geschwindigkeit

        mit Schwung

d. Was tut der Vater?

    stehen, steht, stand, hat ... gestanden

        jemand steht dabei

    zuschauen, schaut ... zu, schaute ... zu, hat ... zugeschaut

        jemand schaut (jemandem) zu

2

a. Was tut der Vater jetzt?

    jetzt ↔ später

        Jetzt wirft der Vater auch einen Stein

        ins Wasser.

b. Wer wirft weiter?

    weit – weiter – am weitesten

        so weit wie der Sohn – weiter als der Sohn

c. Was tut der Sohn?

    die Freude

        vor Freude

    die Hand, ¨e

        in die Hände

    klatschen, klatscht, klatschte, hat ... geklatscht

        jemand klatscht vor Freude in die Hände

3

a. Was passiert?
      passieren, passiert, passierte, ist ... passiert
      geschehen, geschieht, geschah, ist ... geschehen
         etwas passiert ~ etwas geschieht
      die Zeit
         nach einiger Zeit
      nehmen, nimmt, nahm, hat ... genommen
         jemand nimmt etwas$_{AKK}$
         den letzten Stein
      finden ↔ suchen
      finden, findet, fand, hat ... gefunden
      suchen, sucht, suchte, hat ... gesucht
         jemand findet etwas$_{AKK}$
         jemand sucht etwas$_{AKK}$
      noch ↔ nicht mehr
         Suchen sie noch?
         Ja, sie suchen noch.
         Nein, sie suchen nicht mehr.

b. Finden Sie noch Steine?
      noch ↔ kein(e) mehr
         Ja, sie finden noch Steine.
         Nein, sie finden keine Steine mehr.
      jemand sucht (irgendwie) nach etwas$_{DAT}$
      vergeblich ~ ohne Erfolg

4

a. Was machen Vater und Sohn als es Abend wird?
      der Abend ↔ der Morgen
      werden, wird, wurde, ist ... geworden
         es wird Abend
         am Abend
         als es Abend wird, ...
      die Sonne, -n
      gehen, geht, ging, ist ... gegangen
         etwas (die Sonne) geht (irgendwo) unter
      die Wolke, -n
         hinter den Wolken
      das Meer, -e
      versinken, versinkt, versank, ist ... versunken
         etwas versinkt irgendwo
            Die Sonne versinkt im Meer.
      das Haus, ⁻er
         nach Hause – zu Hause
      gehen, geht, ging, ist ... gegangen
         jemand geht irgendwohin

5

a. Was macht der Vater in der Nacht?
      die Nacht, ⸚e ↔ der Tag, -e
         in der Nacht
      der Mond, -e – die Mondsichel – der Vollmond
      der Himmel, -
         am Himmel
      stehen, steht, stand, hat ... gestanden
         etwas/jemand steht irgendwo
      die Schubkarre, -n
         viele Schubkarren voll Steine
      bringen, bringt, brachte, hat ... gebracht
      jemand bringt etwas$_{AKK}$ irgendwohin
         zum Kai

b. Wie ist die Arbeit?
      die Arbeit, -en
      schwer ~ anstrengend
      schwitzen, schwitzt, schwitzte, hat ... geschwitzt
         jemand schwitzt
      der Schweiß *(kein Plural)*
      die Stirn, -en
      tropfen, tropft, tropfte, hat ... getropft
         etwas tropft jemandem von etwas$_{DAT}$

6

a. Wohin gehen Vater und Sohn am nächsten Morgen?
      gehen, geht, ging, ist ... gegangen
         jemand geht irgendwohin
      der Morgen ↔ der Abend
         am nächsten Morgen
      wieder
      Heute ist Unterricht und morgen ist wieder Unterricht.

b. Was sieht der Sohn?
      sehen, sieht, sah, hat ... gesehen
         jemand sieht etwas$_{AKK}$
      der Haufen, -
         einen Haufen Steine

c. Wie reagiert der Sohn?
      reagieren, reagiert, reagierte, hat ... reagiert
      überrascht sein
      glücklich sein
         Der Lehrer sagt: „Jetzt schreiben wir ein Diktat!"
         Die Schüler sind überrascht, aber nicht glücklich.

Übungsteil

1. **Ergänzen Sie die Sätze! (Verbformen)**

a. Vater und Sohn _____ am Kai.

b. Der Sohn _____ einen Stein ins Wasser.

c. Der Vater _____ dabei und _____ zu.

d. Der Vater _____ weiter als sein Sohn.

e. Der Sohn _____ vor Freude in die Hände.

f. Nach einiger Zeit _____ sie keine Steine mehr.

g. Als es Abend _____ und die Sonne _____ und im Meer _____,

   _____ Vater und Sohn nach Hause.

h. In der Nacht, als der Mond am Himmel _____, _____ der Vater viele Schubkarren voll Steine zum Kai.

i. Die Arbeit _____ anstrengend und dem Vater _____ der Schweiß von der Stirn.

j. Am nächsten Morgen _____ Vater und Sohn wieder zum Kai.

k. Der Sohn _____ den Haufen Steine

l. und _____ überrascht und glücklich.

2. **Ergänzen Sie die Sätze! (Präpositionen und Artikel)**

a. Vater und Sohn sind _____ Kai.

b. Der Sohn wirft einen Stein _____ Wasser.

c. Der Sohn klatscht _____ Freude _____ die Hände.

d. _____ einiger Zeit finden sie keine Steine mehr.

e. Sie suchen vergeblich _____ Steinen.

f. _____ Abend, als die Sonne _____ Meer versinkt, gehen und Vater und Sohn _____ Hause.

g. _____ der Nacht bringt der Vater viele Schubkarren voll Steine _____ Kai.

h. Dem Vater tropft der Schweiß _____ der Stirn.

i. _____ nächsten Morgen gehen Vater und Sohn wieder _____ Kai.

3. **Wie heißt das Gegenteil?**

a. **Jetzt** wirft der Vater auch einen Stein ins Wasser.

Etwas _____ wirft der Vater auch einen Stein ins Wasser.

b. Sie **suchen** Steine, _____ aber keine.

c. Am **Abend** gehen sie nach Haus.

Am nächsten _____ kommen sie wieder.

d. Am **Tag** steht die **Sonne** am Himmel.

In der _____ steht der _____ am Himmel.

4. **Negieren Sie die Sätze!**

a. Suchen sie noch?

Nein, sie suchen _____ _____.

b. Finden sie noch Steine?

Nein, sie finden _____ Steine _____.

5. **Beantworten Sie alle Fragen des Arbeitsblattes schriftlich.**

6. **Erzählen Sie die Geschichte!**

Aufgaben und Aktivitäten

1. **Überlegen Sie sich für jedes Bild:**

   Was denkt der Vater vielleicht?
   Was denkt der Sohn vielleicht?
   (Gruppenarbeit)

   Zum Beispiel:

    Bild 1: Jetzt kann ich ihm mal zeigen, dass ...

    Bild 2: Ich habe gar nicht gewusst, dass ...

    Bild 4: Ich hätte nicht gedacht, dass ...

2. **Das stimmt doch alles gar nicht.**

   Die Sonne geht auf.
   Die Sonne geht unter.
   Die Sonne versinkt im Meer.

   Wie kommt es, dass wir so etwas sagen?
   Finden Sie andere Beispiele!

3. **Wo sind Vater und Sohn eigentlich?**

   Am Meer, am Strand, am Meeresstrand, am Ufer eines Flusses, eines Sees,
   auf einem Anlegesteg, an einem Kai?

   Einigen Sie sich bitte!

4. Vergleichen Sie bitte Bild 4 mit Bild 5. Was stimmt da nicht?
Warum? Und stört Sie dieser Fehler?

5. Ein Bild unterscheidet sich in der Form ganz wesentlich von den übrigen.
Welches ist es? Können Sie eine Erklärung dafür geben?

6. Warum heißt die Geschichte „Der Gute"?

7. Erfinden Sie zwei Telefongespräche!

   a. Jemand hat den Haufen Steine gesehen und ruft die Polizei an.
     (Gruppenarbeit)

   b. Die Polizei ruft den Vater an.
     (Gruppenarbeit)

8. Übersetzen Sie bitte in Ihre Muttersprache!

Das Gute
wird erst gut
durch Güte.
(K. H. Waggerl)

Moral
Es gibt nichts Gutes
Außer man tut es.
(Erich Kästner)

Was man aus Liebe tut,
ist niemals schlecht
und meistens gut.
(W. Busch)

2. Die gute Gelegenheit

Titel: die Gelegenheit, -en ~ eine Situation, die etwas möglich macht
eine gute Gelegenheit ~ eine Situation, die so ist, dass man etwas leicht machen kann

1

a. Was brennt?
   brennen, brennt, brannte, hat ... gebrannt
   das Haus, ¨-er
      das Haus von Vater und Sohn

b. Was versuchen Vater und Sohn?
   versuchen, versucht, versuchte, hat ... versucht
      jemand versucht, etwas zu tun
   retten, rettet, rettete, hat ... gerettet
      jemand rettet etwas$_{AKK}$
      Jeder rettet etwas.

c. Was bringt der Vater in Sicherheit?
   retten ~ in Sicherheit bringen
   die Sicherheit ~ ein Platz, der sicher ist, wo es keine Gefahr gibt
   bringen, bringt, brachte, hat ... gebracht
      jemand bringt etwas$_{AKK}$ in Sicherheit
   das Schaukelpferd, -e
   der Fußball, ¨-e
   die Schultasche, -n

d. Was rettet der Sohn?
   die Pfeife, -n
   der Hut, ¨-e

e. Woran denkt jeder zuerst?
   denken, denkt, dachte, hat ... gedacht
      jemand denkt an etwas$_{AKK}$
   zuerst ↔ zuletzt
   die Sachen *(nur Plural)* ~ die Gegenstände, die einem gehören
      meine Sachen, deine Sachen,
      die Sachen des Vaters, des Sohnes
   der eine ↔ der andere
      des einen ↔ des anderen

a. Wohin eilt der Vater zurück?

    zurück·eilen, eilt ... zurück, eilte ... zurück, ist ... zurückgeeilt

        jemand eilt irgendwohin zurück

    brennen (= *Infinitiv*) – brennend (= *Partizip Präsens*)

        in das brennende Haus

b. Was tut der Sohn inzwischen?

    während (= *Konjunktion für gleichzeitige Handlungen*)

    der Vater zurückeilt

    nehmen, nimmt, nahm, hat ... genommen

        jemand nimmt etwas$_{AKK}$ aus etwas$_{DAT}$

        aus der Schultasche

    das Diktat, -e

    das Diktatheft, -e ~ ein Heft, in das die Diktate geschrieben werden

    das Rechenheft, -e ~ ein Heft, in das die Rechenaufgaben,

    die Mathematikaufgaben geschrieben werden

    schnell ↔ langsam

a. Was trägt der Vater auf der Schulter?

    als (= *temporale Konjunktion*)

    tragen, trägt, trug, hat ... getragen

        jemand trägt etwas$_{AKK}$ irgendwo

    die Schulter, -n

        auf der rechten Schulter

    der Arm, -e

        unter dem linken Arm

    der Teppich, -e

    das Kissen, -

    kommen, kommt, kam, ist ... gekommen

        jemand kommt zurück

        jemand kommt herausgelaufen

    sehen, sieht, sah, hat ... gesehen

        jemand sieht, wie ...

    werfen, wirft, warf, hat ... geworfen

        jemand wirft etwas$_{AKK}$ irgendwohin

    das Fenster, -

        durch das Fenster

    das Feuer (*Plural selten*)

        in das Feuer

        Als der Vater ... herausgelaufen kommt, sieht er,

        wie der Sohn ... wirft.

b. Warum wirft der Sohn wohl die Hefte ins Feuer?

      warum *(= kausales Fragewort)* ~ aus welchem Grund
      weil *(= kausale Konjunktion)*
      wohl ~ wahrscheinlich ~ vermutlich
      die Note, -n ~ eine Zahl für die Leistung von Schülern
      und Schülerinnen
            eine gute Note ↔ eine schlechte Note
            gute Noten ↔ schlechte Noten
      bekommen, bekommt, bekam, hat ... bekommen
            jemand bekommt etwas$_{AKK}$

c. Was hat der Sohn also gemacht?

      die Gelegenheit, -en *(siehe Titel)*
      aus·nutzen, nutzt aus, nutzte aus, hat ... ausgenutzt
            ausnutzen ~ von etwas$_{DAT}$ profitieren
            jemand nutzt etwas$_{AKK}$ *(zum Beispiel:* die Gelegenheit) aus,
            etwas zu tun
      vernichten, vernichtet, vernichtete, hat ... vernichtet
            jemand vernichtet etwas$_{AKK}$

Übungsteil

1. Ergänzen Sie die Sätze! (Verbformen)

a. Das Haus von Vater und Sohn _____ .

b. Jeder _____ etwas.

c. Der Vater _____ die Sachen des Sohnes in Sicherheit.

d. Der Sohn _____ die Pfeife und den Hut des Vaters.

e. Jeder _____ zuerst an die Sachen des anderen.

f. Der Vater _____ in das brennende Haus zurück.

g. Währenddessen _____ der Sohn zwei Hefte aus der Schultasche.

h. Der Vater _____ herausgelaufen.

i. Der Vater _____ einen Teppich auf der Schulter.

j. Als der Vater zurück _____, _____ er, wie der Sohn zwei Hefte ins Feuer _____.

k. Der Sohn hatte wahrscheinlich sehr schlechte Noten _____.

l. Der Sohn hat also die Gelegenheit _____, die Hefte zu _____.

2. Ergänzen Sie die Sätze! (Präpositionen, Artikel und Adverbien)

a. Das Haus _____ Vater und Sohn brennt.

b. Jeder denkt zuerst _____ die Sachen _____ anderen.

c. Jeder bringt die Sachen _____ anderen _____ Sicherheit.

d. Der Vater eilt _____ das brennende Haus zurück.

e. _____ nimmt der Sohn zwei Hefte _____ seiner Schultasche.

f. Der Vater trägt einen Teppich _____ d_____ Schulter und ein Kissen _____ d_____ Arm.

g. Als der Vater herausgelaufen kommt, sieht er, wie der Sohn die zwei Hefte _____ das

  Fenster _____ d_____ Feuer wirft.

3. Setzen Sie die richtigen Adjektivendungen (Attributendungen) ein!

a. Der Vater eilt in das brennend___ Haus zurück.

b. Auf der recht___ Schulter trägt er einen groß___ Teppich und unter dem link___ Arm ein groß___ Kissen.

c. Der Sohn hatte schlecht___ Noten bekommen.

d. Das Feuer war eine gut___ Gelegenheit.

4. Wie heißen die Nomen?

a. Die Gegenstände, die mir gehören, sind meine _____ .

b. Ein Pferd, auf dem man schaukeln kann, ist ein _____ .

c. Ein Ball, den man mit den Füßen schießt, ist ein _____ .

d. Eine Tasche, die man zur Schule trägt, ist eine _____ .

e. Ein Heft, in das Diktate geschrieben werden, ist ein _____ .

f. Ein Heft, in das Mathematikaufgaben geschrieben werden, ist ein _____ .

g. Was im Wohnzimmer auf dem Boden liegt, ist ein _____ .

h. Wenn man im Bett schläft, liegt der Kopf meistens auf einem _____ .

5. Wie heißt das Gegenteil?

a. Jeder denkt an sich selbst **zuletzt**. Nein, _____ .

b. **Langsam** nimmt er die Hefte aus der Tasche. Nein, _____ .

c. Er hat **gute** Noten bekommen. Nein, _____ .

6. Wie heißen die Fragewörter?

a. _____ denkt jeder zuerst?

b. _____ eilt der Vater zurück?

c. _____ wirft der Sohn die Hefte ?

7. Wie gehen die Sätze weiter?

(Das kann auch in der Klasse gemacht werden: Einer liest den Anfang, ein anderer liest weiter.)

a. Der Sohn wirft seine Hefte ins Feuer,   die Hefte zu vernichten.

b. Als der Vater zurückkommt,   nimmt der Sohn die Hefte aus seiner Schultasche.

c. Während der Vater ins Haus zurückeilt,   wie der Sohn etwas ins Feuer wirft.

d. Der Vater sieht,   sieht er seinen Sohn vor dem Fenster.

e. Der Sohn hat die Gelegenheit ausgenutzt,   weil er schlechte Noten bekommen hatte.

8. Beantworten Sie alle Fragen des Arbeitsblattes schriftlich!

9. Erzählen Sie die Geschichte!

Aufgaben und Aktivitäten

1. **Anny Julianowa Naidenowa aus Bulgarien, 17 Jahre alt, hat die Geschichte erzählt und die folgenden Äußerungen in der direkten Rede verwendet:**

   „Feuer! Feuer! Unser Haus brennt!"
   „Nimm schnell, was du besonders brauchst!"
   „Los, raus, schnell, schnell!"
   „Ich lauf' noch mal schnell rein, um noch was zu retten!"
   „Oh Gott! Die darf der Vater nicht sehen!"
   „Die sind doch gar nicht besonders nötig!"
   „Das war eine verdammt gute Gelegenheit, mir einige Ohrfeigen zu ersparen!"

   Erzählen Sie die Geschichte und verwenden Sie dabei diese Äußerungen!

2. **Sie sind der Vater und erzählen die Geschichte aus seiner Sicht.**

3. **Sie sind der Sohn und erzählen Ihrem Freund, was passiert ist.**

4. **Wodurch hat es e. o. plauen erreicht, dass man diese drei Bilder als eine Geschichte sieht?**
   Und warum genügen gerade diese drei Bilder schon zum Verständnis?

5. **Welche Lebenserfahrung bildet den Hintergrund oder den Ausgangspunkt dieser Geschichte?**
   Und ist dieser Erfahrungshintergrund notwendig zum Verständnis dieser Geschichte?

6. **Worauf deutet der Gesichtsausdruck des Sohnes im ersten Bild vielleicht schon hin?**

7. **Wodurch gelingt es e. o. plauen, das herzliche Verständnis zwischen Vater und Sohn zu verdeutlichen?**

8. **Wie beurteilen Sie eine Schule, in der so eine Episode wahrscheinlich ist?**

9. Übersetzen Sie in Ihre Muttersprache!

Gelegenheit macht Diebe.
(Sprichwort)

_____

Die Gelegenheit ist der größte Dieb, ein Teufel über alle Teufel.
Sie betört die Weisesten, befleckt die Keuschesten,
hintergeht die Behutsamsten und verführt die Heiligsten.
(Abraham a Santa Clara)

_____

_____

_____

Es mangelt nie Gelegenheit, was Gutes zu verrichten;
Es mangelt nie Gelegenheit, was Gutes zu vernichten.
(Friedrich von Logau)

_____

_____

3. Vorgetäuschte Kraft

Titel: vor·täuschen, täuscht ... vor, täuschte ... vor, hat ... vorgetäuscht
jemand täuscht (jemandem) etwas$_{AKK}$ vor ~ jemand tut etwas absichtlich so,
dass ein anderer glaubt, es ist wirklich so
die Kraft, ̈e ↔ die Schwäche

_____ **1**

a. Was macht der Vater?
pflanzen, pflanzt, pflanzte, hat ... gepflanzt
jemand pflanzt etwas$_{AKK}$
der Baum, ̈e
jemand ist gerade dabei, etwas zu tun

b. Was hat er vorher getan?
vorher ↔ nachher
das Loch, ̈e
graben, gräbt, grub, hat ... gegraben
jemand gräbt etwas$_{AKK}$

c. Womit hält er den Baum fest?
fest·halten, hält ... fest, hielt ... fest, hat ... festgehalten
jemand hält etwas$_{AKK}$ mit etwas$_{DAT}$ fest
die Hand, ̈e
mit der linken Hand

d. Was hält er in der rechten Hand?
der Spaten, -
die Schaufel, n   → Aufgaben und Aktivitäten, Aufgabe 8

e. Wo hält er den Spaten / die Schaufel?
der Stiel, -e
unten am Stiel

f. Was macht er also?
füllen, füllt, füllte, hat ... gefüllt
jemand füllt etwas$_{AKK}$ mit etwas$_{DAT}$
die Erde *(kein Plural)*

_____ **2**

a. Was macht der Vater, nachdem er den Baum gepflanzt hat?
nachdem ↔ bevor
zurück·gehen, geht ... zurück, ging ... zurück,
ist ... zurückgegangen
jemand geht irgendwohin zurück
das Gerätehaus, ̈e ~ der Schuppen, -
ins Gerätehaus, in den Schuppen zurück

b. Was nimmt er mit?
mit·nehmen, nimmt ... mit, nahm ... mit, hat ... mitgenommen
jemand nimmt etwas$_{AKK}$ mit

Arbeitsblatt

 3 _____

a. Was sieht der Vater, als er aus dem Schuppen / Gerätehaus zurückkommt?
    sehen, sieht, sah, hat … gesehen
        jemand sieht etwas$_{AKK}$
        jemand sieht, wie / dass …
    laufen, läuft, lief, ist … gelaufen
        Der Sohn kommt gelaufen.

b. Warum kommt der Sohn so schnell auf seinen Vater zugelaufen?
    weil *(= kausale Konjunktion)*
    jemand läuft auf jemanden / etwas$_{AKK}$ zu
    verfolgen, verfolgt, verfolgte, hat … verfolgt
        jemand verfolgt jemanden
        jemand wird von jemandem verfolgt
    der Kerl, -e
    riesig ~ so groß wie ein Riese
    die Faust, ⸚e
        mit geballten Fäusten

c. Wie sieht der Mann aus?
    jemand sieht irgendwie aus
    die Wut *(kein Plural)* ~ heftiges Gefühl von Ärger und Zorn
    wütend

4 _____

a. Wo versteckt sich der Sohn?
    sich verstecken, versteckt … sich, versteckte … sich,
    hat … sich versteckt
        jemand versteckt sich irgendwo
    hinter ↔ vor
        hinter dem Vater

b. Wo steht der Vater?
    stehen, steht, stand, hat … gestanden
        jemand steht irgendwo
        direkt vor dem Baum

c. Vor welchem Baum steht der Vater?
    vor dem Baum, den er gerade gepflanzt hat

d. Was macht der Mann?
    die Weste, -n ~ Kleidungsstück ohne Ärmel, das über einem
    Hemd getragen wird
    packen, packt, packte, hat … gepackt
    jemand packt jemanden an etwas$_{DAT}$
    drohen, droht, drohte, hat … gedroht
        jemand droht jemandem mit etwas$_{DAT}$
    bedrohen, bedroht, bedrohte, hat … bedroht
        jemand bedroht jemanden mit etwas$_{DAT}$
        mit geballter Faust
    an·schreien, schreit … an, schrie … an, hat … angeschrien
        jemand schreit jemanden an ~ jemand brüllt jemanden an

5

a. Hat der Vater Angst?
  die Angst *(meistens Singular)* ~ die Furcht *(kein Plural)*

b. Was macht er?
  reißen, reißt, riss, hat … gerissen
    jemand reißt etwas$_{AKK}$ aus etwas$_{DAT}$
  die Erde *(nur Singular)*
    aus der Erde
  der Schwung *(nur Singular)* ~ Bewegung mit Geschwindigkeit
  und Kraft
    mit Schwung

c. Warum ist der Mann so entsetzt?
  entsetzt ~ erschrocken ~ schockiert
  glauben, glaubt, glaubte, hat … geglaubt
    jemand glaubt, dass …
  stark sein ↔ schwach sein
  die Kraft, ⁀e = die Stärke *(nur Singular)*
  jemand hat so viel Kraft, dass er …
  jemand ist so stark, dass er …

d. Kann der Mann wissen, dass der Vater den Baum erst kurz vorher
  gepflanzt hat?
  können, kann, konnte, hat … gekonnt
    jemand kann etwas tun
  wissen, weiß, wusste, hat … gewusst
    jemand weiß, dass …

6

a. Was tut der Mann?
  davon·laufen, läuft … davon, lief … davon, ist … davongelaufen
    jemand läuft davon ~ jemand läuft weg
  nehmen, nimmt, nahm, hat … genommen
    jemand nimmt Reißaus ~ jemand läuft schnell weg

b. Was tun Vater und Sohn?
  lachen, lacht, lachte, hat … gelacht
    jemand lacht ↔ jemand weint
    jemand lacht hinter jemandem her

Übungsteil

1. Ergänzen Sie die Sätze! (Verbformen)

a. Der Vater _____ gerade dabei, einen Baum zu _____.

b. Vorher hat er schon ein Loch _____.

c. Jetzt _____ er den Baum mit der linken Hand fest.

d. Mit dem Spaten, den er unten am Stiel _____, _____ er das Loch mit Erde.

e. Nachdem er den Baum _____ hat, _____ er zurück in den Schuppen.

f. Er _____ den Spaten mit in den Schuppen.

g. Als er aus dem Schuppen zurück_____, _____ er, wie sein Sohn gelaufen _____.

h. Der Sohn wird von einem riesigen Kerl _____.

i. Der Kerl _____ wütend.

j. Der Sohn _____ sich hinter seinem Vater, der jetzt vor dem Baum _____, den er gerade _____ hat.

k. Der wütende Mann _____ den Vater an der Weste, _____ ihn mit geballter Faust und _____ ihn an.

l. Der Vater _____ aber keine Angst.

m. Mit Schwung _____ er den Baum aus der Erde.

n. Der Mann _____ entsetzt, weil er nicht _____ hat, dass der Vater so stark _____.

o. Der Mann _____ ja nicht wissen, dass der Vater den Baum erst kurz vorher gepflanzt _____.

p. Der Mann _____ Reißaus und Vater und Sohn _____ hinter ihm her.

2. Ergänzen Sie die Sätze! (Präpositionen, Artikel, Adjektivendungen)

a. Der Vater hält den Baum _____ der linken Hand fest.

b. _____ der rechten Hand hält er den Spaten unten _____ Stiel fest.

c. Er füllt das Loch _____ Erde

d. Nachdem er _____ Baum gepflanzt hat, geht er _____ Haus zurück.

e. Als der Vater _____ _____ Schuppen / Gerätehaus zurückkommt, sieht er, dass sein

   Sohn _____ ein_____ wütend_____ Mann verfolgt wird.

f. Der Sohn versteckt sich _____ _____ Vater, der _____ _____ Baum steht.

g. Der Mann packt _____ Vater _____ der Weste und bedroht ihn _____ geballt_____ Faust.

h. Der Vater reißt den Baum _____ Schwung _____ _____ Erde.

i. Der Mann glaubt jetzt, dass der Vater so viel Kraft hat, dass er ein_____ Baum _____ der Erde reißen kann.

3. **Ergänzen Sie die Sätze! (trennbare Präfixe)**

a. Mit der linken Hand hält der Vater den Baum _____.

b. Der Vater nimmt den Spaten _____.

c. Der Vater kommt aus dem Schuppen / Gerätehaus _____.

d. Der Sohn läuft schnell auf den Vater _____.

e. Der Mann sieht wütend _____.

f. Der Mann schreit den Vater _____.

g. Der Mann läuft _____.

4. **Wie heißt das Gegenteil?**

a. vorgetäuschte **Kraft** ↔ vorgetäuschte _____

b. Was hat er **vorher** getan? ↔ Was hat er _____ getan?

c. **Nachdem** er den Baum gepflanzt hat ↔ _____ er den Baum gepflanzt hat

d. Er versteckt sich **hinter** dem Vater, ↔ der _____ dem Baum steht.

e. Er glaubt, dass der sehr **stark** ist ↔ und gar nicht _____.

f. Vater und Sohn **lachen.** ↔ Sie haben keinen Grund zu _____.

5. **Wie kann man das auch sagen? (Nicht unbedingt identisch, aber fast.)**

a. Der Kerl ist riesig.   Der Kerl ist _____.

b. Der Kerl schreit ihn an.   Der Kerl _____ ihn _____.

c. Der Mann ist entsetzt.   Der Mann ist _____.   Der Mann ist _____.

d. Er glaubt, dass der Vater so viel Kraft hat, dass er …

   Er glaubt, dass der Vater so _____ _____ , dass er …

e. Der Mann läuft davon.   Der Mann läuft _____.

6. **Wie heißen die Wörter?**

a. ein heftiges Gefühl von Ärger und Zorn ~ die _____

b. ein Kleidungsstück ohne Ärmel, das über dem Hemd getragen wird ~ eine _____

c. mit Geschwindigkeit und Kraft ~ mit _____

Übungsteil

7. **Wie heißen die Fragewörter?**

a. _____ macht der Vater? Er pflanzt einen Baum.

b. _____ hält er den Spaten? Unten am Stiel.

c. _____ hält der den Baum fest? Mit der linken Hand.

d. _____ nimmt er mit? Den Spaten.

e. _____ sieht der Mann aus? Wütend.

f. _____ versteckt sich der Sohn? Hinter dem Vater.

8. **Setzen Sie die folgenden Wörter an einer passenden Stelle ein!**

dass weil zu nachdem dass wie als weil den

a. Der Vater ist gerade dabei, einen Baum _____ pflanzen.

b. _____ er den Baum gepflanzt hat, geht er ins Haus zurück.

c. _____ er aus dem Haus zurückkommt, sieht er, _____ sein Sohn gelaufen kommt.

d. Der Sohn kommt gelaufen, _____ er verfolgt wird.

e. Der Vater steht vor dem Baum, _____ er gerade gepflanzt hat.

f. Der Mann ist entsetzt, _____ er nicht gedacht hat, _____ der Vater so stark ist.

g. Der Mann konnte nicht wissen, _____ der Vater den Baum erst kurz vorher gepflanzt hatte.

9. **Beantworten Sie alle Fragen des Arbeitsblattes schriftlich!**

10. **Erzählen Sie die Geschichte!**

Aufgaben und Aktivitäten

1. Sie sind der Sohn und erzählen die Geschichte aus seiner Sicht!

2. Sie sind der Vater und erzählen die Geschichte aus seiner Sicht!

3. Miroslava Georgiova Dimitrova aus Bulgarien (17 Jahre alt) hat die Geschichte sehr fantasievoll ausge-schmückt. Hier sind ein paar Sätze von ihr (zum Teil stark geändert und verbessert):

    Draußen war ein herrlicher Frühlingstag, es grünte und blühte.
    Der Vater kam auf die Idee, einen Baum zu pflanzen.
    In ihrem großen Garten gab es keinen einzigen Obstbaum.
    Schon lange hatte der Vater im frühen Sommer leckere Kirschen genießen wollen.
    Der Vater konnte das ungehobelte Benehmen des unangenehmen Nachbarn nicht länger ertragen.
    Die heftigen Vorwürfe über die Erziehung seines Sohnes gingen ihm auf die Nerven.
    Verschwinde! Und lass dich hier nicht mehr blicken!
    Solche physische Kraft hatte er nicht erwartet.

    Benutzen Sie ein Wörterbuch zum Verständnis dieser Sätze!

4. Schauen Sie sich die Bilder genau an und versuchen Sie, den Mann zu charakterisieren!

5. Schauen Sie sich die Bilder genau an und versuchen Sie, den Vater zu charakterisieren!

6. Welche Funktion erfüllen Bild 1 und 2?

7. An drei Stellen wird der Bildrahmen durchbrochen. Wo ist das und was erreicht der Zeichner dadurch?

8. Welche Gartengeräte kennen Sie? Benutzen Sie ein Wörterbuch und finden Sie die Namen für etwa 10 verschiedene Geräte!

9. Was kann man alles VORTÄUSCHEN? Machen Sie eine Liste und vergleichen Sie Ihre Liste dann mit dem, was in verschiedenen Wörterbüchern beim Stichwort „vortäuschen" steht!

4. Zurück zur Natur

Titel: die Natur
„Zurück zur Natur!"
Französisch: „Retour à la nature!" erscheint nicht wörtlich bei Jean Jacques Rousseau (1712–1788), trifft aber den Sinn seines sozialkritischen Erziehungsromans „Emile". Es ist eine Aufforderung zu einer einfachen, natürlichen Lebensweise.

1

a. Wo sind Vater und Sohn?
stehen, steht, stand, hat ... gestanden
jemand steht irgendwo
das Ufer, -
der Fluss, ⁻e
am Ufer eines Flusses

b. Was tun/machen sie?
fangen, fängt, fing, hat ... gefangen
jemand fängt etwas$_{AKK}$
der Fisch, -e
Sie fangen einen Fisch. Sie haben einen Fisch gefangen.

c. Womit fangen sie den Fisch?
das Netz, -e ~ mit Rahmen und Griff zum Fangen von Fischen
mit einem Netz

d. Warum freuen sie sich?
sich freuen, freut sich, freute sich, hat ... sich gefreut
sie freuen sich, denn ...
sie freuen sich, weil ...

e. Worüber freuen sie sich?
jemand freut sich über etwas$_{AKK}$
Sie freuen sich über den Fang, über den Erfolg.
sie freuen sich darüber, dass ...

f. Wie sieht der Fisch aus?
aussehen, sieht ... aus, sah ... aus, hat ... ausgesehen
überrascht ~ erstaunt ~ das hatte er nicht erwartet
jemand sieht irgendwie aus

2

a. Was machen Vater und Sohn jetzt?
das Haus
nach Hause
gehen, geht, ging, ist ... gegangen
jemand geht irgendwohin

b. Wie gehen Sie nach Hause?
stolz ~ voller Freude über den Erfolg
zufrieden ~ man braucht nicht mehr ~ man hat genug

c. Was trägt der Vater in der rechten/linken Hand?
tragen, trägt, trug, hat ... getragen
jemand trägt etwas$_{AKK}$
die Hand, ⁻e
links ↔ rechts

in der linken Hand ↔ in der rechten Hand
der Eimer, -
    den Eimer mit dem Fisch

d. Was macht der Sohn?
    festhalten, hält ... fest, hielt ... fest, hat ... festgehalten
        jemand hält etwas$_{AKK}$ fest
    gucken, guckt, guckte, hat ... geguckt
        jemand guckt irgendwohin
        in den Eimer

3

a. Wo sind die beiden wahrscheinlich jetzt?
    jemand ist zu Hause

b. Was will der Vater wohl tun?
    wollen, will, wollte, hat ... gewollt
        jemand will etwas tun
    töten, tötet, tötete, hat ... getötet
        jemand tötet etwas$_{AKK}$

c. Wo steht der Vater?
    der Tisch, -e
        hinter dem Tisch ↔ vor dem Tisch
    stehen, steht, stand, hat ... gestanden
        jemand steht irgendwo

d. Wo liegt der Fisch?
    liegen, liegt, lag, hat ... gelegen
        jemand/etwas liegt irgendwo
        auf dem Tisch

e. Was hat der Vater in der linken Hand?
    das Messer, -

f. Womit hält der Vater den Fisch fest?
    fest·halten, hält ... fest, hielt ... fest, hat ... festgehalten
        jemand hält etwas$_{AKK}$ mit etwas$_{DAT}$ fest
        mit der rechten Hand

g. Ist der Fisch schon tot?
    tot sein ↔ lebendig sein
    schon – noch nicht
        Ist er schon tot? – Nein, noch nicht.
    schon – noch
        Ist er schon tot? – Nein, er ist noch lebendig.

h. Warum weint der Sohn?
    weil (= kausale Konjunktion)
    weinen ↔ lachen
    traurig sein ↔ fröhlich sein
    das Mitleid (kein Plural)
        jemand hat Mitleid mit jemandem oder etwas$_{DAT}$
    tun, tut, tat, hat ... getan
        etwas oder jemand tut jemandem leid

4

a. Was tun Vater und Sohn denn jetzt?
        bringen, bringt, brachte, hat ... gebracht
            jemand bringt etwas_{AKK} (irgendwohin) zurück
            zum Fluss
b. Wie sehen Vater und Sohn aus?
        jemand sieht irgendwie aus
        glücklich / zufrieden

5

a. Was macht der Vater mit dem Fisch?
        schütten, schüttet, schüttete, hat ... geschüttet
            jemand schüttet etwas_{AKK} irgendwohin
            Der Vater schüttet den Fisch ins Wasser.
        zurück·geben, gibt ... zurück, gab ... zurück, hat ... zurückgegeben
            jemand gibt jemandem etwas_{AKK} zurück
        die Freiheit ~ wenn man frei ist
        das Wasser *(kein Plural)*
            ins Wasser

b. In welcher Stimmung sind alle drei?
        die Stimmung, -en ~ wie man sich fühlt
        sich freuen (siehe 1 d.)

6

a. Was geschieht aber?
        geschehen, geschieht, geschah, ist ... geschehen
            etwas geschieht ~ etwas passiert
        schlimm ~ was nicht gut ist
        schrecklich ~ man bekommt Furcht/Angst
        etwas Schlimmes / etwas Schreckliches

b. Was sehen Vater und Sohn?
        jemand sieht, wie ...
        ein großer Fisch – der große Fisch
        der kleine Fisch – ein kleiner Fisch
        fressen, frisst, fraß, hat ... gefressen
            jemand frisst etwas_{AKK}
            (Menschen essen – Tiere fressen)
            Ein viel größerer Fisch frisst den kleineren.

c. Woran hatten Vater und Sohn nicht gedacht?
        denken, denkt, dachte, hat ...gedacht
            jemand denkt an etwas_{AKK}
            jemand denkt daran, dass ...
            Große Fische fressen kleine Fische.
            Kleine Fische werden von großen gefressen.

Übungsteil

1. **Ergänzen Sie die Sätze! (Präpositionen und Artikel)**

   a. Vater und Sohn stehen _____ Ufer _____ Flusses.

   b. Der Vater fängt _____ Fisch.

   c. Er fängt _____ Fisch _____ einem Netz.

   d. Sie gehen _____ Hause.

   e. _____ der linken Hand trägt der Vater _____ Netz.

   f. _____ der rechten Hand trägt er _____ Eimer _____ dem Fisch.

   g. Der Sohn guckt _____ den Eimer.

   h. Jetzt sind die beiden _____ Hause.

   i. Der Vater steht _____ dem Tisch.

   j. Der Fisch liegt _____ dem Tisch.

   k. Der Sohn hat Mitleid _____ dem Fisch.

   l. Vater und Sohn bringen _____ Fisch _____ Fluss zurück.

   m. Der Vater schüttet den Fisch _____ Wasser.

   n. Sie sehen, wie _____ viel größerer Fisch _____ kleinen Fisch frisst.

2. **Ergänzen Sie die Sätze! (Verbformen)**

   a. Vater und Sohn _____ am Ufer eines Flusses.

   b. Der Vater hat gerade einen Fisch _____.

   c. Der Fisch im Netz _____ erstaunt _____.

   d. Vater und Sohn _____ nach Hause.

   e. Der Vater _____ den Eimer und das Netz.

   f. Der Sohn _____ den Eimer mit dem Fisch _____.

   g. Der Sohn _____ in den Eimer.

   h. Der Vater _____ hinter dem Tisch.

   i. Der Fisch _____ auf dem Tisch.

   j. Der Vater will den Fisch _____.

   k. Der Sohn _____ Mitleid mit dem Fisch.

   l. Der Vater _____ dem Fisch die Freiheit _____.

   m. Etwas Schreckliches _____.

34   Zurück zur Natur

3. **Ergänzen Sie die Sätze! (Präpositionen / *da(r)* + Präposition / *wo(r)* + Präposition)**

a. _____ freuen sich die beiden?

b. Vater und Sohn freuen sich _____ den Erfolg.

c. Sie freuen sich _____, dass sie einen Fisch gefangen haben.

d. Der Sohn hat Mitleid _____ dem Fisch.

e. _____ hatten Vater und Sohn nicht gedacht?

f. Sie hatten nicht _____ gedacht, dass größere Fische kleine Fische fressen.

4. **Wie heißt das Gegenteil?**

a. Ist der Fisch **tot**? Nein, er ist _____.   b. **Lacht** der Sohn? Nein, er _____.

c. Ist der Sohn **fröhlich**? Nein, er ist _____.

5. **Wie kann man das auch sagen? (Nicht unbedingt identisch, aber fast.)**

a. Der Fisch sieht erstaunt aus.   Der Fisch sieht _____ aus.

b. Sie gehen voller Freude
über den Erfolg nach Hause.   Sie gehen _____ nach Hause.

c. Der Sohn hat Mitleid mit dem Fisch.   Dem Sohn tut der Fisch _____.

d. Etwas Schreckliches geschieht.   Etwas _____ passiert.

e. Was ist geschehen?   Was ist _____?

6. **Setzen Sie die folgenden Wörter an einer passenden Stelle ein!**

wie   dass   weil   aber   denn   und   dass

a. Vater und Sohn stehen am Ufer eines Flusses _____ fangen Fische.

b. Sie freuen sich, _____ sie haben einen Fisch gefangen.

c. Sie freuen sich darüber, _____ sie einen Fisch gefangen haben.

d. Der Sohn weint, _____ ihm der Fisch leidtut.

e. Der Vater schüttet den Fisch zurück ins Wasser, _____ etwas Schreckliches geschieht.

f. Vater und Sohn sehen, _____ ein größerer Fisch den kleinen frisst.

g. Sie hatten nicht daran gedacht, _____ kleine Fische von größeren gefressen werden.

7. **Beantworten Sie alle Fragen des Arbeitsblattes schriftlich!**

8. **Erzählen Sie die Geschichte!**

Aufgaben und Aktivitäten

1. **Verstehen Sie die hervorgehoben Wörter und Satzteile?**
   (Wenn Sie nicht ganz sicher sind, müssen Sie im Wörterbuch nachschlagen!)

   Bild 1: Der Vater zieht den Fisch *mit Schwung* aus dem Wasser.
   Bild 1: *Schon nach kurzer Zeit* haben sie einen schönen Fisch gefangen.
   Bild 2: *Vergnügt* gehen die beiden nach Hause.
   Bild 2: Das wird *ein leckeres Abendessen*.
   Bild 3: Nun *naht* das Ende für den Fisch!
   Bild 3: Nun soll der Fisch *filetiert* werden.
   Bild 3: Der Vater hat den Fisch *auf eine Holzbank* gelegt.
   Bild 3: Der Vater *greift* nach dem Messer.
   Bild 3: Der Sohn kann *den traurigen Blick* des Fisches nicht *ertragen*.
   Bild 3: Dem Sohn *fließen die Tränen*.
   Bild 3: *Große Tränen rollen* aus seinen Augen.
   Bild 3: Der Vater hat *ein großes Herz*.
   Bild 4: Der Tag ist *sonnig und friedlich*.
   Bild 4: Die Sonne steht *strahlend am Himmel*.
   Bild 4: Die beiden *laufen freudig* zum Fluss.
   Bild 5: Auf dem Wasser sieht man *Kreise*.
   Bild 5: Sie geben ihm *die Freiheit* wieder.
   Bild 6: *Das Glück des befreiten Fisches* dauert nicht lange.

2. **Bringen Sie die Sätze und Satzteile in eine richtige Reihenfolge!**
   Bitte Großschreibung und Zeichensetzung nicht vergessen!

   (Text von Oliver Heimer)

   Bild 3: a. nun naht das Ende für den Fisch
   Bild 4: b. sofort danach gehen die beiden mit dem Fisch im Eimer
   Bild 2: c. das wird ein leckeres Abendessen
   Bild 6: d. und verspeist den neuen Freund
   Bild 3: e. den traurigen Blick des Fisches nicht ertragen
   Bild 2: f. vergnügt ziehen die beiden nach Hause
   Bild 3: g. greift nach dem Messer
   Bild 1: h. Vater und Sohn gehen angeln
   Bild 1: i. schon nach kurzer Zeit
   Bild 3: j. und der Vater hat ein großes Herz
   Bild 6: k. doch das Leben kann so kurz sein
   Bild 1: l. haben sie einen schönen Fisch gefangen
   Bild 3: m. denn der Sohn kann
   Bild 4: n. freudig zurück zum Fluss
   Bild 6: o. das Leben kann hart sein
   Bild 2: p. mit dem Fisch im Eimer
   Bild 3: q. doch er kann ihn nicht töten
   Bild 5: r. wie schön ist es doch
   Bild 3: s. Vater legt den Fisch auf den Tisch
   Bild 3: t. große Tränen rollen aus seinen Augen
   Bild 3: u. doch oh weh
   Bild 5: v. und geben ihm die Freiheit wieder
   Bild 5: w. dort werfen sie ihn zurück ins Wasser
   Bild 6: x. ein Riesenfisch schwimmt heran
   Bild 5: y. einem neuen Freund das Leben zu retten

3. **Bringen Sie die Sätze in eine richtige Reihenfolge!**

(Text von Sibylla Dickson)

a. und trägt den Fisch zurück zum See
b. denn Vater hat einen großen Fisch im Netz
c. der Sohn ist traurig und weint
d. zum Entsetzen von Vater und Sohn
e. dort schüttet er den Fisch zurück ins Wasser
f. Vater und Sohn freuen sich
g. und der Vater holt das große Messer
h. da nimmt der Vater den Eimer
i. um den Fisch zu töten
j. und der Sohn ist glücklich
k. ihm tut der arme Fisch leid
l. füllt ihn mit Wasser
m. doch ein großer Hecht frisst den Fisch
n. sie gehen nach Hause

4. **Sie sind der Vater und erzählen Ihrem Freund die Geschichte!**

5. **Gefällt Ihnen die Geschichte? Wenn ja – warum? Wenn nein – warum nicht?**

6. **Warum hat der Zeichner vielleicht den Titel „Zurück zur Natur" gewählt?**

7. **Woran zeigt sich, dass der Zeichner vielleicht nicht viel Ahnung vom Fischen / Angeln hat? Und stört Sie das an der Geschichte?**

8. **Ist Angeln ein Sport? Erläutern Sie Ihre Meinung!**

9. **Kennen Sie die berühmte Melodie von Franz Schubert (1797–1828) zu diesem Text von Christian Friedrich Daniel Schubart (1759–1791)?**

Es kann gut sein, dass Sie die Melodie wiedererkennen, aber den Text noch nie gelesen haben.

Die Forelle

In einem Bächlein helle,
Da schoss in froher Eil
Die launische Forelle
Vorüber wie ein Pfeil.
Ich stand an dem Gestade
Und sah in süßer Ruh
Des munteren Fischleins Bade
Im klaren Bächlein zu.

Ein Fischer mit der Rute
Wohl an dem Ufer stand,
Und sah's mit kaltem Blute,
Wie sich das Fischlein wand.
Solang dem Wasser Helle,
So dacht ich, nicht gebricht,
So fängt er die Forelle
Mit seiner Angel nicht.

Doch endlich ward dem Diebe
Die Zeit zu lang. Er macht
Das Bächlein tückisch trübe,
Und eh ich es gedacht,
So zuckte seine Rute,
Das Fischlein zappelt dran,
Und ich mit regem Blute
Sah die Betrog'ne an.

Vielleicht wollen Sie auch einmal das Forellenquintett (Klavierquintett A-Dur von 1819) hören?

5. Moral mit Wespen

Titel: die Moral ~ das, was man aus einer Geschichte lernen kann
die Wespe, -n, ~ ein Insekt mit einem schwarz-gelben Körper (siehe 1 c.)

1

a. Wo sind Vater und Sohn?
  sein, ist, war, ist ... gewesen
    jemand ist irgendwo
  drinnen ↔ draußen
  sitzen, sitzt, saß, hat ... gesessen
    jemand sitzt irgendwo
  der Tisch, -e
    am Tisch

b. Was hat jeder vor sich stehen?
  der Teller, -
  die Wurst, ¨e
    einen Teller mit einer Wurst
  jemand hat etwas$_{AKK}$ vor sich stehen
    vor sich ↔ hinter sich

c. Was hat sich auf die Wurst des Sohnes gesetzt?
  sich setzen, setzt sich, setzte sich, hat sich ... gesetzt
    jemand/etwas setzt sich irgendwohin
    auf die Wurst
  die Wespe, -n ~ ein Insekt mit einem schwarz-gelben Körper,
  das fliegen und stechen kann
  die Biene, -n ~ ein Insekt mit einem braunen Körper, das fliegen
  und stechen kann, aber süßen Honig produziert

d. Was will der Sohn gerade tun?
  wollen, will, wollte, hat ... gewollt
  jemand will etwas tun
  töten, tötet, tötete, hat ... getötet
    jemand tötet jemanden/etwas$_{AKK}$

e. Womit will der Sohn die Wespe töten?
  die Serviette, -n
    mit einer Serviette

f. Wie reagiert aber der Vater darauf?
  reagieren, reagiert, reagierte, hat ... reagiert
    jemand reagiert (irgendwie) auf etwas$_{AKK}$
  jemand will etwas tun
  jemand will nicht, dass ...
  abhalten, hält ... ab, hielt ... ab, hat ... abgehalten
    jemand hält jemanden von etwas$_{DAT}$ ab
    Der Vater will ihn davon abhalten, dass er die Wespe tötet.

g. Worum bittet er (der Vater) ihn (den Sohn)?
  bitten, bittet, bat, hat ... gebeten
    jemand bittet jemanden um etwas$_{AKK}$
    jemand bittet jemanden, etwas nicht zu tun

Arbeitsblatt

2

a. Was tut der Vater?
   nehmen, nimmt, nahm, hat ... genommen
      jemand nimmt ewas$_{AKK}$
   gehen, geht, ging, ist ... gegangen
      jemand geht irgendwohin
   das Fenster, -
      zum Fenster

b. Was will er dem Sohn zeigen?
   zeigen, zeigt, zeigte, hat ... gezeigt
      jemand zeigt jemandem etwas$_{AKK}$
      jemand zeigt jemandem, dass ....
   Muss man das tun? – Nein, das braucht man nicht zu tun.

3

a. Wo stehen Vater und Sohn jetzt?
   stehen, steht, stand, hat ... gestanden
      jemand steht irgendwo
   das Zimmer, -
      im Zimmer
   das Fenster, -
      am Fenster

b. Was tut der Vater?
   halten, hält, hielt, hat ... gehalten
   jemand hält etwas$_{AKK}$ irgendwohin
      den Teller mit der Wurst und der Wespe
      nach draußen
      aus dem Fenster

c. Was tut die Wespe?
   weg · fliegen, fliegt ... weg, flog ... weg, ist ... weggeflogen
      wegfliegen ~ davonfliegen

d. Was hat der Vater dem Sohn also gezeigt?
   ..., dass man sie nicht zu töten braucht (Siehe 2 b.)

4

a. Was passiert aber?
   landen, landet, landete, ist ... gelandet
      etwas landet irgendwo
   der Kopf, ⸚e
      auf dem Kopf des Vaters
   sich setzen, setzt sich, setzte sich, hat sich ... gesetzt
      etwas (die Wespe) setzt sich irgendwohin
      auf den Kopf des Vaters
   stechen, sticht, stach, hat ... gestochen
      etwas (die Wespe) sticht jemanden
      jemand wird von etwas$_{DAT}$ (der Wespe) gestochen

a. Wo sind Vater und Sohn jetzt wieder?
   (Siehe 1 a. und b.)
b. Wo sitzt die Wespe jetzt?
c. Was tut der Sohn?
   zeigen, zeigt, zeigte, hat ... gezeigt
   jemand zeigt irgendwohin
      zum Fenster
d. Was will er also tun?
   wollen, will, wollte, hat ... gewollt
      jemand will etwas tun
   bringen, bringt, brachte, hat ... gebracht
      jemand bringt etwas$_{AKK}$ irgendwohin (zum Fenster)
      den Teller mit der Wespe und der Wurst
e. Wie reagiert aber der Vater?
   jemand ist gegen etwas$_{AKK}$ ↔ jemand ist für etwas$_{AKK}$
   dagegen sein ↔ dafür sein
f. Was ist los mit dem Vater?
   der Wespenstich, -e
   weh·tun, tut ... weh, tat ... weh, hat ... wehgetan
   schmerzen, schmerzt, schmerzte, hat ... geschmerzt
      etwas tut weh ~ etwas schmerzt
   ärgern, ärgert, ärgerte, hat ... geärget
      etwas ärgert jemanden
      jemand ärgert sich über etwas$_{AKK}$
      jemand ärgert sich darüber, dass ...
   machen, macht, machte, hat ... gemacht
      etwas macht jemanden irgendwie
      Der Wespenstich hat ihn wütend gemacht.

a. Wo steht der Vater?
   stehen, steht, stand, hat ... gestanden
      jemand steht irgendwo
      vor der Wespe
b. In welcher Stimmung ist er?
   die Stimmung, -en ~ das, was man fühlt
   sehr ärgerlich ~ wütend
      mit einem schmerzenden Wespenstich mitten auf seinem Kopf
c. Was hält er mit beiden Händen?
   halten, hält, hielt, hat ... gehalten
      jemand hält etwas$_{AKK}$ (mit etwas$_{DAT}$)
   die Hand, ¨e
      mit beiden Händen
d. Was will der Vater also tun?
   wollen, will, wollte, hat ... gewollt
      jemand will etwas tun
   tot·schlagen, schlägt tot, schlug tot, hat ... totgeschlagen
      jemand schlägt etwas$_{AKK}$ tot
e. Warum will der Vater jetzt genau das tun, was vorhin sein Sohn nicht
   tun sollte?
   er ist wütend, weil ...
   jemand hat etwas$_{AKK}$
      einen Wespenstich, der schmerzt / wehtut

Übungsteil

1. **Ergänzen Sie die Sätze! (Verbformen)**

   a. Vater und Sohn _____ an einem Tisch.

   b. Jeder hat einen Teller mit einer Wurst vor sich _____.

   c. Eine Wespe _____ sich auf die Wurst des Sohnes _____.

   d. Der Sohn will die Wespe mit einer Serviette _____.

   e. Der Vater _____ nicht, dass er das _____.

   f. Der Vater will ihn davon _____.

   g. Er _____ ihn, das nicht zu _____.

   h. Der Vater _____ den Teller mit Wurst und Wespe und _____ zum Fenster.

   i. Er will ihm _____, dass man die Wespe nicht zu töten _____.

   j. Der Vater _____ den Teller mit der Wurst nach draußen und die Wespe

      _____ davon.

   k. Der Vater hat also dem Sohn _____, dass man die Wespe nicht zu _____

      braucht.

   l. Die Wespe _____ auf dem Kopf des Vaters und _____ ihn.

   m. Er wird von der Wespe _____.

   n. Vater und Sohn _____ wieder am Tisch.

   o. Die Wespe hat sich auf die Wurst des Vaters _____.

   p. Der Sohn will jetzt die Wespe auch zum Fenster _____.

   q. Aber der Vater _____ dagegen.

   r. Der Wespenstich hat ihn wütend _____.

   s. Er _____ wütend vor der Wespe und will sie mit einer Serviette _____.

   t. Er will sie tot_____, weil der Wespenstich _____.

2. **Ergänzen Sie die Sätze! (Präpositionen und Artikel)**

   a. Vater und Sohn sitzen _____ Tisch.

   b. Jeder hat einen Teller _____ ein_____ Wurst vor sich stehen.

   c. Eine Wespe hat sich _____ d_____Wurst des Sohnes gesetzt.

   d. Der Sohn will die Wespe _____ ein_____ Serviette töten.

   e. Der Vater nimmt d_____Teller und geht _____ Fenster.

f. Die Wespe landet _____ d_____ _____ Kopf d_____ Vaters.

g. Sie hat sich _____ d_____Kopf d_____ Vaters gesetzt.

h. Er wird _____ d_____ Wespe gestochen.

i. Der Sohn zeigt _____ Fenster.

j. Der Vater steht wütend _____ d_____ Wespe.

k. Er hält die Serviette _____ beid_____ Händen.

3. **Wie gehen die Sätze weiter? (Das kann auch in der Klasse gemacht werden: Einer liest den Anfang, die anderen lesen weiter!)**

   a. Der Vater ist wütend,   mit einer Wurst vor sich stehen.

   b. Der Vater bittet ihn,   dass der Sohn die Wespe tötet.

   c. Der Vater zeigt ihm,   die Wespe zu töten.

   d. Jeder hat einen Teller   die Wespe nicht zu töten.

   e. Der Vater will nicht,   weil der Wespenstich wehtut.

   f. Er will ihn davon abhalten,   dass man die Wespe nicht zu töten braucht.

4. **Setzen Sie die folgenden Wörter an einer passenden Stelle ein!**

   dass zu womit warum dass davon worum darauf

   a. _____ will der Sohn die Wespe töten?

   b. Der Vater will ihn _____ abhalten.

   c. _____ bittet der Vater den Sohn?

   d. Der Vater will nicht, _____ der Sohn die Wespe tötet.

   e. Er will ihm zeigen, _____ man die Wespe nicht zu töten braucht.

   f. Man braucht das nicht _____ tun.

   g. _____ ist der Vater wütend?

   h. Wie reagiert der Vater _____?

5. **Beantworten Sie alle Fragen des Arbeitsblattes schriftlich!**

6. **Erzählen Sie die Geschichte!**

Aufgaben und Aktivitäten

1. **Erfinden Sie einen kleinen Dialog zu (fast) jedem Bild!**
   Was könnte der Vater sagen? Was könnte der Sohn sagen?

2. **Aus Fehlern lernen! Schreiben Sie die Sätze richtig!**

   Mona (10 Jahre alt – Muttersprache Deutsch) schreibt:
   Zu Bild 1:   *Auf einmal kommt eine Wespe und setzt sich auf die Wurst des Sohnes. Der Sohn wil sie Totschlagen.*
   Zu Bild 2:   *Der Vater bringt den Teller zum Fenster und hellt ihn aus dem Fenster.*
   Zu Bild 3:   *Die Wespe fligt weg.*
   Zu Bild 4:   *Dan kommt sie wieder und Sticht den Vater.*

   Petek (10 Jahre alt – Muttersprache Türkisch) schreibt:
   Zu Bild 1:   *Der Junge und sein Vater setzen im Tisch und Essen.*
   Zu Bild 2:   *Der Vater bringt Wespe im Fenster.*

   Patrick (14 Jahre – Muttersprache Deutsch) schreibt:
   Zu Bild 5:   *Klausi weist seinen Vater darauf hin, das er sie ja wieder freilassen könnte.*

   Natalija (16 Jahre alt – Muttersprache Ukrainisch) schreibt:
   Zu Bild 1:   *Der Vater und kleine Tochter sassen am Eßtisch. Sie aßen heute beste Würstchen aus dem Frau Schneiders Geschäft.*
   Zu Bild 2:   *„Nein, mein liebes Kind. Wir müssen uns zu allem Lebendigen humanistisch verhalten. Darum machen wir das Wespe frei", sagte der Vater.*
   Zu Bild 6:   *Das war die Grenze! Und humanistischer Vater hat das Wespe von allen Kräften mit dem Kuchentuch geschlagen.*

3. **Bringen Sie die Sätze und Satzteile in eine richtige Reihenfolge!**
   (Leicht geänderter Text vom 14-jährigen Patrick mit Deutsch als Muttersprache)

   Überschrift: Essen mit Folgen

   a.   dass er sie ja wieder freilassen könnte.
   b.   Er erklärt Klausi,
   c.   Wieder am Esstisch angelangt
   d.   Er will sie mit einer Zeitung erschlagen,
   e.   Doch statt wegzufliegen,
   f.   Bei einem gemütlichen Essen der Familie Müller
   g.   doch sein Vater hält ihn davon ab.
   h.   dass er die Wespe erschlägt.
   i.   dass dies sehr nützliche Tiere sind.
   j.   doch diesmal auf die des Herrn Müller.
   k.   Klausi weist seinen Vater darauf hin,
   l.   setzt sich eine Wespe auf die Wurst von Klein Klausi.
   m.   und lässt sie frei.
   n.   Doch Herr Müller ist wegen des Stiches so wütend,
   o.   sitzt auch wieder die Wespe auf der Wurst,
   p.   und sticht ihn.
   q.   setzt sich die Wespe auf den Kopf von Herrn Müller

4. **Erzählen Sie die Geschichte! Stellen Sie sich vor, Sie sind der Sohn.**

5. **Patrick schreibt:**

Die Geschichte gefällt mir gut, sie ist lustig und lehrreich. Denn durch die eigene Rücksicht des Vaters wird er selber gestochen. Er erklärt dem Sohn, dass man die Tiere nicht töten soll, da sie ja nützlich sind. Aber er hält sich nicht daran, da seine Wut größer ist. Und die Moral von dieser Geschicht': Traue einer Wespe nicht!

Was halten Sie von dieser Geschichte?

6. **Was versteht man unter Moral?**

7. **Was versteht man unter doppelter Moral?**

8. **Was fällt Ihnen leichter zu töten? Eine Wespe oder einen Schmetterling? Eine Spinne oder einen Marienkäfer? Eine Maus oder eine kleine Katze? Beschreiben Sie Ihre Gefühle und äußern Sie Ihre Meinung dazu!**

9. **Erläutern Sie, wieso jeder, der behauptet, gegen das Töten von Tieren zu sein, Vegetarier sein müsste!**
   Ein paar kleine Texte als Anregung:

Wir tun unrecht und handeln gottlos, wenn wir Tiere töten und uns von ihrem Fleisch nähren, da wir dann unsere Verwandten morden. (Empedokles)

Es nützt den Schafen wenig, wenn sie für die vegetarische Lebensweise eintreten, solange der Wolf gegenteiliger Meinung ist. (William Ralph Inge)

Vegetarier seien harmlose Leute. Die Karotten sind da ganz anderer Ansicht. (Markus M. Ronner)

Mit welchen Gefühlen sieht ein fanatischer Vegetarier einer Fleisch fressenden Pflanze zu? (Beat Rink)

Vegetarier fressen keine Tiere, aber sie fressen ihnen das Futter weg. (Robert Lembke)

Wenn der moderne Gebildete die Tiere, deren er sich als Nahrung bedient, selbst töten müsste, würde die Zahl der Pflanzenesser ins Ungemessene steigen. (Morgenstern)

10. **Kann man die Bildgeschichte „Moral mit Wespen" mit der folgenden Fabel vergleichen? Unterhalten Sie sich bitte darüber!**

Die Fabel vom guten Menschen

Es war einmal ein guter Mensch, der freute sich seines Lebens. Da kam eine Mücke geflogen und setzte sich auf seine Hand, um von seinem Blut zu trinken. Der gute Mensch sah es und wusste, dass sie trinken wollte; da dachte er: „Die arme kleine Mücke soll sich einmal satt trinken", und störte sie nicht. Da stach ihn die Mücke, trank sich satt und flog voller Dankbarkeit davon. Sie war so froh, dass sie es allen Mücken erzählte, wie gut der Mensch gewesen wäre und wie gut ihr sein Blut geschmeckt hätte. Da wurde der Himmel schwarz von Mücken, die alle den guten Menschen sehen und sein gutes Blut trinken wollten. Und sie stachen und stachen ihn und tranken und tranken und wurden nicht einmal satt, weil es ihrer zu viele waren. Der gute Mensch aber starb.

(Kurt Schwitters)

6. Der Simulant

Titel: simulieren, simuliert, simulierte, hat ... simuliert
jemand simuliert ~ jemand tut nur so
der Simulant, -en

1

a. Welche Tageszeit ist es?
    der Morgen ↔ der Abend
    es ist Morgen
        am Morgen / eines Morgens

b. Wer kommt ins Schlafzimmer des Sohnes?
    der Vater, ⸚
    kommen, kommt, kam, ist ... gekommen

c. Was hat der Vater an?
    an · haben, hat ... an, hatte ... an, hat ... angehabt
        jemand hat etwas_{AKK} an
    das Nachthemd, -en

d. Wie kommt der Vater ins Zimmer?
    der Pantoffel, -n
        im Nachthemd und in Pantoffeln

e. Was bringt er?
    bringen, bringt, brachte, hat ... gebracht
        jemand bringt etwas_{AKK}
    der Schulranzen, - ~ die Schultasche, -n

f. Was soll der Sohn also tun?
    sollen, soll, sollte, hat ... gesollt
        jemand soll etwas tun
    auf · stehen, steht ... auf, stand ... auf, ist ... aufgestanden
        jemand steht auf ↔ jemand geht zu Bett
    die Schule, -n
        zur Schule gehen

g. Wo ist der Sohn?
    liegen, liegt, lag, hat ... gelegen
        jemand liegt irgendwo
    sitzen, sitzt, saß, hat ... gesessen
        jemand sitzt irgendwo
    das Bett, -en
        im Bett liegen / sitzen

h. Worauf zeigt er?
    zeigen, zeigt, zeigte, hat ... gezeigt
        jemand zeigt auf etwas_{AKK}
    der Kopf, ⸚e
    die Stirn, -en

i. Was hat er wohl?
    haben, hat, hatte, hat ... gehabt
    das Fieber ~ die Temperatur
    Fieber / Temperatur / Kopfschmerzen haben

Arbeitsblatt

2

a. Muss der Sohn zur Schule gehen?
   müssen, muss, musste, hat ... gemusst
   brauchen, braucht, brauchte, hat ... gebraucht
      jemand muss etwas tun ↔ jemand muss etwas nicht tun /
      jemand braucht ewas nicht zu tun

b. Warum braucht er nicht zur Schule zu gehen?
   krank sein ↔ gesund sein
   weil *(= kausale Konjunktion)*

c. Was darf er tun?
   dürfen, darf, durfte, hat ... gedurft
      jemand darf etwas tun
   liegen bleiben, bleibt ... liegen, blieb ... liegen,
   ist ... liegen geblieben
      jemand bleibt irgendwo liegen
      im Bett

d. Was hat ihm der Vater gebracht?
   bringen, bringt, brachte, hat ... gebracht

e. Und was hat ihm der Vater gemacht?
   machen, macht, machte, hat ... gemacht
      jemand macht jemandem etwas_{AKK}
   der Umschlag, ̈-e ~ ein feuchtes Tuch
      Er hat ihm einen Umschlag gemacht.

f. Was hält der Vater in der Hand?
   halten, hält, hielt, hat ... gehalten
      jemand hält etwas_{AKK} irgendwo
   die Hand, ̈-e
      in der rechten Hand
   das Seil, -e

g. Worauf zeigt der Vater?
   zeigen, zeigt, zeigte, hat ... gezeigt
      jemand zeigt auf etwas_{AKK}
      mit der linken Hand
   der Haken, -
   die Decke, -n
      einen großen Haken in der Decke über dem Bett

3

a. Was hat der Vater inzwischen gemacht?
   hängen, hängt, hängte, hat ... gehängt
      jemand hängt etwas_{AKK} mit etwas_{DAT} an etwas_{AKK}
   inzwischen ~ in der Zwischenzeit

b. Was hat er aus dem Bett gemacht?
   jemand macht aus etwas_{DAT} etwas_{AKK}
   die Schaukel, -n

c. Was tut er jetzt gleichzeitig?

    sitzen, sitzt, saß, hat ... gesessen

    der Stuhl, ¨e

        auf einem Stuhl

    gleichzeitig ~ zur gleichen Zeit

    jemand schaukelt jemanden hin und her

    vor·lesen, liest ... vor, las ... vor, hat ... vorgelesen

        jemand liest jemandem etwas$_{AKK}$ aus einem Buch vor

_____ **4**

a. Bleibt der Vater die ganze Zeit bei seinem kranken Sohn?

    bleiben, bleibt, blieb, ist ... geblieben

        jemand bleibt irgendwo

    bei seinem Sohn

    im Zimmer

    weg·gehen, geht ... weg, ging ... weg, ist ... weggegangen

    lassen, lässt, ließ, hat ... gelassen

        jemand lässt jemanden allein

_____ **5**

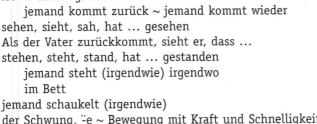

a. Warum ist der Vater weggegangen?

    holen, holt, holte, hat geholt

    um etwas$_{AKK}$ (eine Packung Tee) zu holen

b. Was sieht er, als er zurückkommt?

    zurück·kommen, kommt ... zurück, kam ... zurück

    ist ... zurückgekommen

        jemand kommt zurück ~ jemand kommt wieder

    sehen, sieht, sah, hat ... gesehen

    Als der Vater zurückkommt, sieht er, dass ...

    stehen, steht, stand, hat ... gestanden

        jemand steht (irgendwie) irgendwo

        im Bett

    jemand schaukelt (irgendwie)

    der Schwung, ¨e ~ Bewegung mit Kraft und Schnelligkeit

        mit Schwung hin und her

c. Ist der Sohn noch krank?

    noch ↔ nicht mehr

d. War der Sohn überhaupt krank?

    eine Krankheit simulieren ~ eine Krankheit vortäuschen

e. Warum hat er die Krankheit simuliert / vorgetäuscht?

    um nicht in die Schule gehen zu müssen

    um zu Hause bleiben zu können

_____ **6**

a. Was tut der Vater?

    schicken, schickt, schickte, hat ... geschickt

        jemand schickt jemanden irgendwohin

    in die Schule

Übungsteil

1.   Ergänzen Sie die Sätze! (Präpositionen und Artikel)

a.   Der Vater kommt _____ Schlafzimmer des Sohnes.

b.   Er kommt _____ Nachthemd und _____ Pantoffeln.

c.   Der Sohn soll aufstehen und _____ die Schule gehen.

d.   Der Sohn sitzt _____ Bett und zeigt _____ seinen Kopf.

e.   Weil er krank ist, braucht er nicht _____ die Schule zu gehen.

f.   Er darf _____ Bett liegen bleiben.

g.   _____ der rechten Hand hält der Vater ein Seil.

h.   _____ der linken Hand zeigt er _____ einen großen Haken _____ der Decke _____ dem Bett.

i.   _____ der Zwischenzeit hat der Vater _____ dem Bett eine Schaukel gemacht.

j.   Der Vater sitzt _____ einem Stuhl und liest seinem Sohn _____ einem Buch vor.

k.   Der Vater bleibt nicht die ganze Zeit _____ seinem Sohn.

l.   Als er zurückkommt, sieht er, dass sein Sohn _____ Bett steht und _____ Schwung hin und her schaukelt.

2.   Ergänzen Sie die Sätze! (Verbformen)

a.   Es _____ Morgen und der Vater _____ ins Schlafzimmer des Sohnes.

b.   Der Vater _____ den Schulranzen, weil der Sohn _____ und in die Schule _____ soll.

c.   Der Sohn _____ im Bett und _____ auf seinen Kopf.

d.   Weil der Sohn krank _____, _____ er nicht in die Schule zu _____.

e.   Er _____ im Bett liegen _____.

f.   Der Vater hat ihm eine Tasse Tee _____ und einen Umschlag _____.

g.   In der rechten Hand _____ der Vater ein Seil und mit der linken Hand _____ er auf einen Haken

an der Decke.

h.   Der Vater hat ihm eine Schaukel _____.

i.   Der Vater _____ auf einem Stuhl, _____ seinen Sohn hin und her und _____ ihm aus

einem Buch vor.

j.   Er _____ weg.

k.   Als er _____, _____ er, dass sein Sohn im Bett _____ und mit Schwung hin und her

_____.

l.   Der Vater _____ ihn zur Schule.

50   Der Simulant

3. **Setzen Sie die folgenden Wörter an einer passenden Stelle ein!**

um als weil worauf um und

a. _____ zeigt der Vater?

b. Er braucht nicht in die Schule zu gehen, _____ er krank ist.

c. Der Vater schaukelt ihn _____ liest ihm aus einem Buch vor.

d. Der Vater ist weggegangen, _____ eine Packung Tee zu holen.

e. _____ der Vater zurückkommt, sieht er seinen Sohn im Bett schaukeln.

f. Der Sohn hat die Krankheit simuliert, _____ zu Hause bleiben zu können.

4. **Wie kann man das auch sagen? (Nicht unbedingt identisch, aber fast.)**

a. Eines Morgens kommt der Vater ins Schlafzimmer.　　_____ kommt der Vater ins Schlafzimmer.

b. Er bringt die Schultasche.　　Er bringt _____.

c. Der Sohn hat Temperatur.　　Der Sohn hat _____.

d. Nach kurzer Zeit kommt der Vater zurück.　　Nach kurzer Zeit kommt der Vater _____.

e. Der Sohn hat die Krankheit simuliert.　　Der Sohn hat die Krankheit _____.

5. **Wie heißt das Gegenteil?**

a. der Morgen　　↔　　_____

b. liegen　　↔　　_____

c. krank sein　　↔　　_____

d. noch　　↔　　_____

6. **Wie gehen die Sätze weiter?**

a. Der Sohn darf zu Hause bleiben,　　um eine Packung Tee zu holen.

b. Der Vater schaukelt seinen Sohn　　um nicht in die Schule gehen zu müssen.

c. Der Vater ist weggegangen,　　und liest ihm aus einem Buch vor.

d. Der Sohn hat die Krankheit simuliert,　　weil er krank ist.

7. **Beantworten Sie alle Fragen des Arbeitsblattes schriftlich!**

8. **Erzählen Sie die Geschichte!**

Aufgaben und Aktivitäten

1. **Erzählen Sie die Geschichte in der Vergangenheitsform, im Präteritum!**

Eines Morgens kam der Vater ...

2. **Erfinden Sie einen kleinen Dialog zu (fast) jedem Bild!**

Was könnte der Vater sagen? Was könnte der Sohn sagen?

3. **Aus Fehlern lernen! Schreiben Sie die Sätze richtig!**

Viktoria (14 Jahre alt – Muttersprache Bulgarisch) schreibt:
Zu Bild 1:   Klaus liegt ins Bett.
Zu Bild 3:   Herr Müller schaukelt ihn und lies ihm ein Märchen.

Elena (16 Jahre alt – Muttersprache Ukrainisch) schreibt:
Zu Bild 1:   Jeden Morgen kommt zu ihm sein Vater.
Zu Bild 4:   Etwas später, wenn Hans schon schlief, ging er ins Geschäft.

Sarah (Universitätsstudentin in Kanada – Muttersprache Englisch) schreibt:
Zu Bild 2:   Vati gibt er ein Tasse Tee und etwas für sein Kopf.
Zu Bild 4:   Vati sagt: „bleib ins Bett."
Zu Bild 5:   Wann er zurückkommt, er findet, daß seinen Sohn ...

4. **Verstehen Sie die hervorgehobenen Wörter und Satzteile?**

Wenn Sie nicht ganz sicher sind, müssen Sie im Wörterbuch nachschlagen!

Bild 1:   Der Sohn liegt im Bett und tut, *als ob* er *krank* ist.
Bild 2:   Der Vater *kümmert sich um* den Jungen.
Bild 3:   Das Schaukeln *beruhigt* den Jungen.
Bild 4:   Der Vater *ermahnt* seinen Sohn, ruhig im Bett zu bleiben.
Bild 5:   Als er zurückkommt, *erlebt* er *eine Überraschung.*
Bild 6:   *Mit strenger Miene* schickt ihn der Vater zur Schule.

5. **Bringen Sie die Sätze und Satzteile in eine richtige Reihenfolge!**

(Text von Mirna Emersic aus Bosnien)

a.   Während er den Sohn schaukelt,

b.   Der Vater befiehlt dem Sohn,

c.   es wäre Zeit,

d.   und meint,

e.   Der Vater kümmert sich um den Sohn,

f.   Als er zurückkommt,

g.   Es ist früh morgens.

h.   und macht eine Schaukel aus dem Bett.

i.   Dann muss der Vater weggehen.

j.   Der Sohn behauptet,

k.   findet er den plötzlich gesunden Sohn

l.   Sowohl der Sohn als auch der Vater

m.   Der Vater kommt zum Sohn

n.   bringt ihm Tee,

o.   liest er ihm aus einem Buch vor.

p.   in die Schule zu gehen.

q.   sich nicht wohl zu fühlen.

r.   sind böse.

s.   in die Schule zu gehen.

t.   schaukelnd im Bett.

6. **Sie sind der Vater und erzählen, was Ihr Sohn gestern versucht hat!**

7. **Sie sind der Sohn und erzählen Ihren Freunden, wie Sie gestern versucht haben, die Schule zu schwänzen!**

8. **Die 16-jährige Elena Dmitruk aus Ukraine schreibt:**

   Dieses Problem gibt es zu allen Zeiten. Ich bin sicher, dass unsere Eltern und Großeltern auch nicht gerne in die Schule gehen wollten, wie wir. Die Schule war und ist unser großes Problem.

   Was halten Sie von der Geschichte?

9. **Wie beurteilen Sie eine Schule, die bei den Schülern und Schülerinnen den Wunsch zu schwänzen erweckt? Nehmen Sie Stellung!**

   Und gibt es bei Ihnen auch Schülersprüche, die den Verdruss an der Schule zeigen?

   Hier ein paar Beispiele:

   NULL-BOCK AUF SCHULE

   In der Schule lernt man nichts, aber das fürs ganze Leben.

   Dem Schulstress kann man leicht entgehen,
   vermeidet man es aufzustehen.

   Wer nichts lernt, kann auch nichts vergessen.

   Kennst du den Ort, wo keiner lacht,
   wo man aus Menschen Idioten macht,
   wo man verliert die Lust und Tugend:
   die Schule, Grab der Jugend.

   Selig ist, wer sich verdrückt, wenn es was zu lernen gibt.

   Wenn alle schlafen und einer spricht,
   so nennt man das wohl Unterricht.

10. **Die ganze Geschichte leidet vielleicht an einer Unwahrscheinlichkeit. Was könnte das sein? Und stört Sie das?**

11. **Was glauben Sie, wie begründet der Junge in der Schule, dass er so spät zum Unterricht kommt?**

12. **Nun, manchmal verspätet man sich ja. Wie entschuldigt man sich für eine Verspätung?**

    Die folgenden Ausreden sind Erfindungen von Schülern:
    „Morgenstau bei McDonalds"
    „Ich hatte einen schönen Traum und wollte ihn nicht unterbrechen."
    „Ein UFO hat mich letzte Nacht entführt und ich konnte mich erst jetzt befreien."
    „Es war dichter Nebel und ich konnte die Schule nicht finden."

    Jetzt sind Sie an der Reihe! Finden Sie ausgefallene und wenn möglich lustige Ausreden!

13. **Nun, manchmal ist man ja wirklich krank. Schreiben Sie einen Entschuldigungsbrief für Ihren kranken Sohn, Ihre kranke Tochter!**

    Welche anderen Gründe könnte es noch geben, nicht in die Schule zu gehen?

7. Im Krieg sind alle Mittel erlaubt

Titel: der Krieg, -e ↔ der Frieden
das Mittel, - ~ die Methode, -n
erlauben, erlaubt, erlaubte, hat … erlaubt
  jemand erlaubt jemandem etwas_AKK
etwas ist erlaubt ~ man darf es tun

-- **1**

a. Was spielen Vater und Sohn?
  spielen, spielt, spielte, hat … gespielt
    jemand spielt Tennis / Klavier / Krieg
  das Schiff, -e
  versenken, versenkt, versenkte, hat … versenkt
    jemand versenkt etwas_AKK (ein Schiff, Schiffe)
    Sie spielen Schiffe versenken.

b. Wo spielen sie?
  das Badezimmer, -
    im Badezimmer

c. Wie viele Schiffe und Kanonen hat jeder?
  die Kanone, -n
  jemand hat etwas_AKK

d. Wer schießt zuerst?
  schießen, schießt, schoss, hat … geschossen
  zuerst ~ als Erster
  zuerst ↔ zuletzt

e. Womit schießt der Sohn?
  mit seiner Kanone

f. Was versucht der Sohn?
  versuchen, versucht, versuchte, hat … versucht
    jemand versucht, etwas zu tun
    Er versucht, ein Schiff des Vaters zu versenken.

g. Trifft der Sohn?
  treffen, trifft, traf, hat … getroffen

h. Gelingt es dem Sohn, ein Schiff des Vaters zu versenken?
  gelingen, gelingt, gelang, ist … gelungen
    es gelingt jemandem, etwas zu tun

i. Woran sieht man, dass die beiden ganz bei der Sache sind?
  sehen, sieht, sah, hat … gesehen
    jemand sieht etwas_AKK an etwas_DAT
    jemand sieht an etwas_DAT, dass …
  das Gesicht, -er
  ernst ↔ fröhlich ~ heiter
  die Sache, -n
    ganz bei der Sache sein ~ voll konzentriert sein

Arbeitsblatt

2

a. Wer schießt jetzt?
    jetzt ~ in diesem Moment
    treffen, trifft, traf, hat ... getroffen
    der Treffer, -
    erzielen, erzielt, erzielte, hat ... erzielt
        jemand erzielt einen Treffer, einen Volltreffer

3

a. Was macht der Vater?
    sich beugen, beugt sich, beugte sich, hat sich ... gebeugt
        jemand beugt sich über etwas$_{AKK}$
    die Wanne, -n

b. Womit drückt der Vater das Schiff ganz unter Wasser?
    drücken, drückt, drückte, hat ... gedrückt
    jemand drückt etwas$_{AKK}$ mit etwas$_{DAT}$ irgendwohin
    der Finger, -
        mit dem Finger
    das Wasser
        ganz unter Wasser

c. Welche Wirkung hat das auf den Sohn?
    die Wirkung, -en ~ der Effekt, -e
        etwas hat Wirkung auf jemanden / etwas$_{AKK}$
    jemand ist irgendwie
    niedergeschlagen ~ deprimiert
    niedergeschlagen ↔ fröhlich ~ in guter Stimmung

4

a. Wer schießt zum zweiten Mal?
    zum ersten / zweiten / dritten Mal
    treffen, trifft, traf, hat ... getroffen
        jemand trifft wieder ~ ein zweites Mal

b. Wer hat gesiegt?
    siegen, siegt, siegte, hat ... gesiegt ↔ verlieren, verliert, verlor,
    hat ...verloren

c. Was macht der Sohn?
    stehen, steht, stand, hat ... gestanden
        jemand steht irgendwo
    nach·denken, denkt ... nach, dachte ... nach, hat ... nachgedacht
        jemand denkt nach ~ jemand überlegt
          ~ jemand sucht eine Lösung für ein Problem
    überlegen, überlegt, überlegte, hat ... überlegt
        jemand überlegt, was er tun soll
    die Rache *(kein Plural)* ~ eine Aktion, eine Handlung,
    die man plant, weil einer einem etwas Böses getan hat
    denken, denkt, dachte, hat ... gedacht
        jemand denkt an etwas$_{AKK}$ – an Rache denken

5

a. Was tut der Vater?
    kommen, kommt, kam, ist ... gekommen
        jemand kommt irgendwohin (nach vorn)
    jemand drückt etwas irgendwohin (Siehe 3 b.)
    auch das zweite Schiff

b. Was tut der Sohn in diesem Augenblick?
    der Augenblick ~ der Moment
        in diesem Augenblick ~ in diesem Moment
    die Dusche, -n
    auf·drehen, dreht ... auf, drehte ... auf, hat ... aufgedreht
        jemand dreht etwas$_{AKK}$ auf ↔ jemand dreht etwas$_{AKK}$ zu

6

a. Was tut der Vater?
    verlassen, verlässt, verließ, hat ... verlassen
        jemand verlässt etwas$_{AKK}$
    der Kampfplatz, ¨e ~ der Platz, wo gekämpft wird oder
    wo gekämpft worden ist

b. Wie verlässt der Vater den Kampfplatz?
    nass ↔ trocken
        völlig durchnässt ~ durch und durch nass

c. Was macht der Sohn jetzt?
    nach vorn gehen
    beide Schiffe des Vaters

d. Welche Mittel sind im Krieg erlaubt?

Übungsteil

1. **Ergänzen Sie die Sätze! (Präpositionen und Artikel)**

   a. Vater und Sohn sind _____ Badezimmer und spielen Schiffe versenken.

   b. Der Sohn schießt _____ seiner Kanone.

   c. Er versucht, _____ Schiff _____ Vaters zu versenken.

   d. _____ ihren Gesichtern sieht man, dass sie ganz _____ d_____ Sache sind.

   e. _____ Sohn gelingt es nicht, ein Schiff _____ Vaters zu versenken.

   f. Der Vater erzielt _____ Volltreffer.

   g. Der Vater beugt sich _____ die Wanne und drückt _____ getroffene Schiff _____ d_____ Finger ganz _____ Wasser.

   h. Das hat natürlich ein_____ negative Wirkung _____ d_____ Sohn.

   i. Der Vater schießt _____ zweiten Mal und trifft wieder.

   j. Der Sohn denkt _____ Rache.

   k. Der Vater beugt sich _____ die Badewanne, um auch das zweite Schiff zu versenken.

   l. _____ diesem Augenblick dreht der Sohn d_____ Dusche auf.

2. **Ergänzen Sie die Sätze! (Verformen)**

   a. Vater und Sohn _____ Schiffe versenken.

   b. Jeder _____ zwei Schiffe und eine Kanone.

   c. Der Sohn _____ als Erster.

   d. Der Sohn _____, mit seiner Kanone ein Schiff des Vaters zu _____.

   e. Dem Sohn _____ es nicht, ein Schiff des Vaters zu _____.

   f. An ihren Gesichtern _____ man, dass sie ganz bei der Sache _____.

   g. Der Vater _____ einen Volltreffer.

   h. Der Vater _____ sich über die Wanne und _____ mit seinem Finger das Schiff ganz unter Wasser.

   i. Der Vater hat _____ und der Sohn hat _____.

   j. Der Sohn _____, was er tun _____.

   k. Er _____ an Rache.

   l. Als der Vater sich nach vorn _____, um auch das zweite Schiff unter Wasser zu _____, _____ der Sohn die Dusche auf.

   m. Der Vater _____ völlig durchnässt den Kampfplatz.

3. **Wie heißt das Gegenteil?**

a. Der Sohn schießt **zuletzt**. – Nein, er schießt _____.

b. Sie sind **froh und heiter**. – Nein, sie sind _____.

c. Der Sohn ist **in guter Stimmung**. – Nein, er ist _____.

d. Er hat **gesiegt**. – Nein, er hat _____.

e. Er dreht die Dusche **zu**. – Nein, er dreht sie _____.

f. Der Vater ist ganz **trocken**. – Nein, er ist ganz _____.

4. **Wie kann man das auch sagen? (Nicht unbedingt identisch, aber fast.)**

a. Das darf man tun.

Das ist _____.

b. Der Sohn schießt als Erster.

Der Sohn schießt _____.

c. Sie sind voll konzentriert.

Sie sind _____.

d. Der Sohn ist deprimiert.

Der Sohn ist _____.

e. In diesem Moment dreht der Sohn die Dusche auf.

_____ dreht der Sohn die Dusche auf.

f. Der Vater verlässt durch und durch nass den Kampfplatz.

Der Vater verlässt _____ den Kampfplatz.

5. **Beantworten Sie alle Fragen des Arbeitsblattes schriftlich!**

6. **Erzählen Sie die Geschichte!**

Aufgaben und Aktivitäten

1. **Sie sind der Vater und erzählen diese Geschichte aus seiner Sicht.**

2. **Sie sind der Sohn und erzählen diese Geschichte aus seiner Sicht.**

3. **Kritisieren Sie die folgenden Aussagen! Sehen Sie das anders?**
   Die 18-jährige Iwanowa aus Bulgarien schreibt:

   Und so beginnt „der Krieg". Alles geht gut, es entsteht aber ein Gleichgewicht und niemand kann den Gegner einfach besiegen.

   Der Vater versucht mit hinterhältigen Methoden, seine Schiffe triumphieren zu lassen.

   Tommy kann sich mit diesem Betrug nicht abfinden.

4. **Aus Fehlern lernen! Schreiben Sie die Sätze richtig!**
   Die 18-jährige Dobrawa aus Bulgarien schreibt (leicht gekürzt und geändert):

   Das war der Tag, wenn ich meinen engstirnigen, altmodischen Vater mit ins Badezimmer schleppte.

   Dann hob sich plötzlich mein Alter und senkte einen von meinen wertvollsten, übrig gebliebenen Schiffen.

   So drehte ich den Duschhahn an.

5. **Wodurch provoziert der Vater den Sohn wahrscheinlich besonders?**

6. **Was fällt Ihnen auf, wenn Sie einmal bedenken, dass es sich hier doch nur um ein Spiel handelt.**

7. **Glauben Sie, dass die Thematik eines Spiels Einfluss darauf hat, wie man spielt? Wenn ja, welche Folgerungen ziehen Sie daraus?**

8. **Sind im Krieg alle Mittel erlaubt?**

9. **Kennen Sie das altbekannte und beliebte Spiel „Schiffe versenken"?**
   Hier sind die Spielregeln aus der Zeit vor dem Computer:

   1. Schiffe versenken können zwei Personen gegeneinander spielen.
   2. Jeder zeichnet auf ein kariertes Blatt Papier ein großes Quadrat mit einer Seitenlänge von mindestens 12 Karos, insgesamt also hat jedes Quadrat mindestens 144 Karos. Je größer die Quadrate sind, desto schwieriger wird das Spiel.
   3. Die Quadrate werden oben mit Buchstaben von A bis L versehen und auf der linken Seite mit Zahlen von 1 bis 12.
   4. Jeder Spieler hat 10 Schiffe in folgender Größe:
      1 Schiff ist 5 Karos lang.
      2 Schiffe sind je 4 Karos lang.
      3 Schiffe sind je 3 Karos lang.
      4 Schiffe sind je 2 Karos lang.
      Man kann das Spiel auch mit weniger Schiffen spielen, dadurch wird es schwieriger.

5. Jeder Spieler platziert ungesehen von seinem Gegenspieler seine Schiffe senkrecht oder waagerecht auf sein Quadrat. Die Schiffe dürfen sich nicht berühren.

6. Die Spieler versuchen jetzt abwechselnd ein Schiff des Gegenspielers zu treffen. Man fragt z.B. B5 und die Antwort ist entweder „Wasser" oder „Treffer" oder „versenkt", wenn alle Karos eines Schiffes getroffen worden sind. Bei „Treffer" und „versenkt" darf man noch einmal fragen.

7. Jeder Spieler notiert sich auf seinem Blatt seine Schüsse und ihren Erfolg. Je weiter das Spiel fortgeschritten ist, desto besser kann man erraten, wo der Gegenspieler seine Schiffe versteckt hat.

8. Wer zuerst alle 10 Schiffe des Gegenspielers versenkt hat, hat gewonnen.

Versuchen Sie es einmal.

10. **Ist das ein Denkspiel, ein Ratespiel, ein Glücksspiel?**

   Einigen Sie sich!

   Eine Spielesammlung im Internet ist in vier Rubriken unterteilt:
   1. Gewinnspiele
   2. Denkspiele
   3. Ballerspiele
   4. Funspiele

   „Schiffe versenken" erscheint unter der Rubrik „Funspiele".
   Sind Sie damit einverstanden?

   Gruppenarbeit!

   Heute findet man auch schon Schiffe versenken mit dem WAP-Handy: Golem Network News, interaktive Spiele zwischen Mobilfunkteilnehmern!

11. **Suchen Sie nun im Internet das Spiel!**

   Gibt es unterschiedliche Versionen?

   Warum spielen Sie nicht einmal?

   Beschreiben Sie dann, was sich geändert hat im Vergleich mit der alten Version des Spiels. Nehmen Sie kritisch Stellung dazu!

12. **Kann man dieses Spiel Kindern empfehlen?**

   Pro und Kontra! (Gruppenarbeit)

8. Erfolglose Anbiederung

Titel: der Erfolg, -e ~ was man erreichen wollte und erreicht hat
der Erfolg, -e ↔ der Misserfolg, -e
erfolglos ~ ohne Erfolg
erfolglos ↔ erfolgreich
sich an·biedern, biedert sich … an, biederte sich … an, hat sich … angebiedert
jemand biedert sich (bei jemandem) an
~ jemand nähert sich ohne Einladung
~ jemand will mitmachen, ohne eingeladen zu sein
die Anbiederung, -en

1

a. Wo sind Vater und Sohn?
stehen, steht, stand, hat … gestanden
jemand steht irgendwo
das Ufer, -
am Ufer
der Strand, ¨-e
am Strand

b. Was macht der Sohn?
werfen, wirft, warf, hat … geworfen
jemand wirft etwas$_{AKK}$ irgendwohin
der Spazierstock, ¨-e
das Wasser *(nur Singular)*
ins Wasser

c. Was tut der Hund?
laufen, läuft, lief, ist … gelaufen
jemand läuft irgendwohin

d. Warum läuft der Hund ins Wasser?
um etwas$_{AKK}$ zurückzuholen, zurückzubringen
ein Mensch holt etwas zurück
ein Hund apportiert etwas
um den Spazierstock zu apportieren

e. Was macht der Vater?
stehen, steht, stand, hat … gestanden
jemand steht irgendwo
dabei·stehen ~ bei anderen Personen stehen
zu·sehen, sieht … zu, sah … zu, hat … zugesehen
jemand sieht (jemandem) zu

f. Wie steht er da?
die Hand, ¨-e
der Mantel, ¨
die Tasche, -n
mit den Händen in den Manteltaschen

2

a. Gefällt dem Hund das Spiel?
  gefallen, gefällt, gefiel, hat ... gefallen
    jemandem gefällt etwas$_{NOM}$
      ~ etwas$_{NOM}$ macht jemandem Spaß

b. Womit kommt der Hund zurück?
  zurück·kommen, kommt ... zurück, kam ... zurück,
  ist ... zurückgekommen
    jemand kommt (mit etwas$_{DAT}$) zurück
      ~ jemand kommt wieder dorthin, wo er/sie vorher war
  die Schnauze, -n
    mit dem Spazierstock in der Schnauze

c. Wer ist inzwischen noch hinzugekommen?
  inzwischen ~ in der Zwischenzeit
    jemand kommt hinzu ~ jemand kommt dorthin,
    wo schon jemand ist
  der Mann, ¨er
    Vater und Sohn haben einen Spazierstock.
    Der Mann hat auch einen Spazierstock.

d. Gefällt dem Mann das Spiel auch?

3

a. Was hat der Vater gemacht?
  nehmen, nimmt, nahm, hat ... genommen
    jemand nimmt etwas$_{AKK}$

b. Wie sitzt der Hund da?
  sitzen, sitzt, saß, hat ... gesessen
    jemand sitzt irgendwie
  das Bein, -e
  das Hinterbein, -e
    auf den Hinterbeinen

c. Wohin schauen Vater, Sohn und Hund?
  Vater, Sohn und Hund ~ alle drei
  schauen, schaut, schaute, hat ... geschaut
    jemand schaut auf jemanden

d. Was macht der Mann?
  zeigen, zeigt, zeigte, hat ... gezeigt
    jemand zeigt auf etwas$_{AKK}$

———————————————————————————— 4

a. Was macht der Mann jetzt?
    (Siehe Bild 1)

b. Wie wirft er seinen Stock ins Wasser?
    der Schwung, ¨-e ~ eine schnelle und kraftvolle Bewegung
        mit großem Schwung

c. Was erwartet der Mann?
    erwarten, erwartet, erwartete, hat ... erwartet
        jemand erwartet, dass jemand etwas tut

———————————————————————————— 5

a. Was aber tun Vater, Sohn und Hund?
    sich um·drehen, dreht sich ... um, drehte sich ... um,
    hat sich ... umgedreht
        jemand dreht sich um ~ jemand dreht Kopf und Körper
        in die entgegengesetzte Richtung
    gehen, geht, ging, ist ... gegangen
        davon·gehen ~ weg·gehen ~ fort·gehen
    wortlos ~ ohne etwas zu sagen

b. Wo ist der Spazierstock des Mannes?
    schwimmen, schwimmt, schwamm, ist ... geschwommen
        etwas schwimmt irgendwo
    das Wasser *(nur Singular)* – auf dem Wasser

———————————————————————————— 6

a. Was muss der Mann jetzt tun?
    wenn ... , dann ...
    haben, hat, hatte, hat ... gehabt
        jemand will / möchte etwas$_{AKK}$ zurückhaben / wiederhaben
    selbst ~ niemand anders
        er muss es selbst tun ~ niemand tut es für ihn
    jemand schwimmt hinaus
    jemand holt etwas$_{AKK}$ zurück

b. Was tut der Mann deshalb?
    deshalb ~ aus diesem Grunde
    sich aus·ziehen, zieht sich ... aus, zog sich ... aus,
    hat sich ... ausgezogen
    jemand zieht sich aus ↔ jemand zieht sich an

c. Welche Kleidungsstücke sieht man?
    sehen, sieht, sah, hat ... gesehen
        jemand sieht etwas$_{AKK}$
    der Hut, ¨-e
    der Schuh, -e
    die Hose, -n, die Hosenträger *(meistens Plural)*
    das Hemd, -en
    der Schlips, -e / die Krawatte, -n

Übungsteil

1. **Ergänzen Sie die Sätze! (Verbformen)**

   a. Vater und Sohn _____ am Ufer eines Flusses oder am Strand.

   b. Der Sohn _____ den Spazierstock des Vaters ins Wasser.

   c. Der Vater _____ dabei und _____ zu, wie der Sohn den Stock ins Wasser _____.

   d. Der Hund _____ ins Wasser, um ihn zu _____.

   e. Dem Hund _____ das Spiel.

   f. Der Hund _____ zurück mit dem Spazierstock in der Schnauze.

   g. Der Hund _____ auf seinen Hinterbeinen.

   h. Alle drei _____ auf den Mann, der auf seinen Stock _____.

   i. Der Mann _____, dass der Hund seinen Stock _____.

   j. Alle drei _____ sich um und _____ davon, ohne etwas zu _____.

   k. Der Stock des Mannes _____ auf dem Wasser.

   l. Wenn der Mann seinen Stock _____ _____, muss er hinaus _____ und ihn selbst zurück_____.

   m. Deshalb _____ der Mann sich aus.

2. **Wie heißen die trennbaren Präfixe?**

   a. Der Sohn und der Hund spielen und der Vater steht _____ und schaut _____.

   b. Der Hund kommt mit dem Stock in der Schnauze _____.

   c. Inzwischen ist ein Mann _____gekommen.

   d. Vater, Sohn und Hund drehen sich _____ und gehen _____, ohne ein Wort zu sagen.

   e. Wenn der Mann seinen Stock _____haben will, muss er _____schwimmen und ihn selbst _____holen.

   f. Deshalb zieht der Mann sich _____.

3. **Ergänzen Sie die Sätze! (Präpositionen und Artikel)**

   a. Vater und Sohn stehen _____ Ufer.

   b. Der Sohn wirft den Spazierstock _____ Wasser.

   c. Der Vater steht dabei _____ _____ Händen _____ _____ Manteltasche.

   d. Der Hund kommt zurück _____ d_____ Spazierstock _____ d_____ Schnauze.

   e. Der Hund sitzt _____ sein_____ Hinterbeinen.

   f. Der Spazierstock des Mannes schwimmt weit draußen _____ _____ Wasser.

66   Erfolglose Anbiederung

4. **Wie kann man das auch sagen? (Nicht unbedingt identisch, aber fast.)**

a. Das Spiel macht dem Hund Spaß.   Das Spiel _____.

b. Niemand tut es für ihn.   Er muss es _____.

c. Aus diesem Grunde zieht er sich aus.   _____ zieht er sich aus.

d. Jemand kommt wieder dorthin, wo er/sie vorher war.   Jemand kommt _____.

e. Jemand kommt dorthin, wo schon jemand ist.   Jemand kommt _____.

f. Vater, Sohn und Hund drehen sich um.   _____ drehen sich um.

g. Sie gehen weg.   Sie gehen _____.   Sie gehen _____.

h. Sie gehen weg, ohne ein Wort zu sagen.   Sie gehen _____ weg.

5. **Wie heißen die Fragewörter?**

a. _____ sind Vater und Sohn? Am Ufer.

b. _____ läuft der Hund ins Wasser? Um den Stock zu apportieren.

c. _____ kommt der Hund zurück? Mit dem Stock.

d. _____ wirft der Mann seinen Stock ins Wasser? Mit großem Schwung.

e. _____ schwimmt der Stock des Mannes? Auf dem Wasser.

f. _____ Kleidungsstücke sieht man? Den Hut, den Mantel, die Schuhe, die Hose.

6. **Wie gehen die Sätze weiter?**

a. Der Hund läuft ins Wasser,   und gehen wortlos weg.

b. Der Mann erwartet,   und schaut zu.

c. Alle drei drehen sich um   um den Stock zu apportieren.

d. Der Vater steht dabei   muss er ihn selbst holen.

e. Wenn er seinen Stock wiederhaben will,   dass der Hund auch seinen Stock apportiert.

7. **Beantworten Sie alle Fragen des Arbeitsblattes schriftlich!**

8. **Erzählen Sie die Geschichte!**

Aufgaben und Aktivitäten

1. Bringen Sie die folgenden Sätze und Satzteile in eine richtige Reihenfolge!

(Text von Sibylla aus Deutschland)

und bringt den Stock zurück.
und geht mit Vater und Sohn weg.
denn ohne Kleidung schwimmt man besser.
Er zeigt dem Hund seinen Spazierstock
Da muss der Herr seinen Stock selbst apportieren,
und wirft ihn dann weit hinaus in den See.
Der Sohn wirft den Spazierstock ins Wasser,
Ein eleganter Herr mit Hut und Stock kommt dazu
und er zieht sich am Ufer aus,
und sieht dem Spiel mit Vergnügen zu.
Aber der Hund hat kein Interesse.
und der Hund springt ins Wasser,

2. Bringen Sie die folgenden Sätze und Satzteile in eine richtige Reihenfolge!

(Text von der 18-jährigen Kalojan aus Bulgarien (leicht geändert))

Teil 1:   Ein wunderbares Wetter für einen langen Spaziergang!
Es war ein schöner Tag im Frühling.
und grüßte uns mit ihrem warmen Lächeln.
Wir sangen ein schönes Lied.
Es gab keine Wolke am Himmel.
Die Sonne schien

Teil 2:   und schwamm hinaus,
Ich nahm den Spazierstock meines Vaters
Wir lobten ihn,
Bobbi bellte fröhlich.
Ich, mein Hund Bobbi und mein Vater gingen zum Strand.
um den Spazierstock zu holen.
und warf ihn weit hinaus ins Wasser.
und er freute sich.

Teil 3:   „Könnte der Hund auch meinen Stock aus dem Wasser holen?"
rief der Herr.
„Warten Sie mal, warten Sie mal!"
Er sagte zu uns:
Das alles sah ein Herr.
und der Mann warf seinen Spazierstock hinaus.
„Bravo! Bravo! Was für ein guter Hund!",

Teil 4:   Wir aber waren schon weg.
um seinen Spazierstock zurückzuholen
Er konnte nichts machen
und musste selbst hinausschwimmen,

3. Akzeptieren Sie das Verhalten von Vater, Sohn und Hund?

4. Welchen Fehler, der diese Reaktion vielleicht rechtfertigen würde, könnte der Mann gemacht haben?

5. Auf wessen Seite sind die Sympathien e. o. plauens? Begründen Sie Ihre Ansicht!

6. Was für ein Hund könnte das sein? Welche Hunderassen kennen Sie?
   Haben Sie selbst einen Hund? Wie heißt er? Welche Rolle spielt er in Ihrem Leben?

7. Hunde in einer Großstadt! Beschreiben Sie die Probleme!

8. Es gibt im Deutschen einige Sprichwörter und Redewendungen über Hunde:

   Hunde, die bellen, beißen nicht.

   Viele Hunde sind des Hasen Tod.

   Wer mit Hunden zu Bett geht, steht mit Flöhen auf.

   mit allen Hunden gehetzt sein

   wie Katze und Hund miteinander leben

   auf den Hund kommen

   Finden Sie die Bedeutung heraus und finden Sie noch einige mehr!

9. Welche Sprichwörter und Redewendungen gibt es in Ihrer Muttersprache?
   Welche Probleme ergeben sich, wenn Sie die übersetzen?

10. Übersetzen Sie den folgenden Text in Ihre Muttersprache.
    Zuerst müssen Sie ihn aber verstehen. Er ist gar nicht so einfach!

    Tierischer Ernst

    Auch auf einem Weg
    der für die Katz ist
    kann man auf den Hund kommen
    wenn man nicht Schwein hat.
    (Erich Fried)

9. Ein Jahr später

Titel: das Jahr, -e
spät ↔ früh
später ↔ früher

1

a. Wo sind Vater und Sohn?
    der Garten, ⸚
       im Garten

b. Welche Jahreszeit ist es?
    die Jahreszeit, -en
       der Frühling, im Frühling, an einem Frühlingstag
       der Sommer, im Sommer, an einem Sommertag
       der Herbst, im Herbst, an einem Herbsttag
       der Winter, im Winter, an einem Wintertag

c. Wo steht der Sohn?
    stehen, steht, stand, hat ... gestanden
       jemand steht irgendwo
    der Baum, ⸚e
       an einem Baum

d. Wo steht der Vater?
    vor seinem Sohn

e. Was hält der Vater in der Hand?
    halten, hält, hielt, hat ... gehalten
       jemand hält etwas$_{AKK}$ in der Hand
    der Hammer, ⸚

f. Was hat der Vater im Mund?
    der Mund, ⸚er
    der Nagel, ⸚
    die Lippe, -n
       zwischen den Lippen

g. Was tut der Vater?
    messen, misst, maß, hat ... gemessen
       jemand misst etwas$_{AKK}$
    die Größe, -n
       Er misst die Größe des Sohnes. ~ Er misst, wie groß der Sohn ist.

Arbeitsblatt

2

a. Was tut der Vater?
   jemand hockt sich nieder
   schlagen, schlägt, schlug, hat ... geschlagen
      jemand schlägt etwas$_{AKK}$ mit etwas$_{DAT}$ in etwas$_{AKK}$
      den Nagel mit dem Hammer in den Baum

b. Wo schlägt er den Nagel in den Baum?
   die Stelle, -n
      Genau an der Stelle, die er vorher gemessen hat.
   vorher ↔ nachher

c. Wo ist der Sohn und was tut er?
   jemand steht dabei
   zu·sehen, sieht ... zu, sah ... zu, hat ... zugesehen
      jemand sieht (jemandem) zu ~ jemand schaut (jemandem) zu

3

a. Welche Jahreszeit ist es?
   Es ist jetzt Winter.
   schneien, schneit, schneite, hat ... geschneit
      Es schneit.

b. Wie sieht der Baum aus?
   aus·sehen, sieht ... aus, sah ... aus, hat ... ausgesehen
   kahl ~ ohne Blätter

c. Sind noch Blätter am Baum?
   das Blatt, ¨er
   fallen, fällt, fiel, ist ... gefalllen
      Die Blätter sind vom Baum gefallen.

d. Was sieht man noch im Garten?
   sehen, sieht, sah, hat ... gesehen
      jemand (man) sieht etwas$_{AKK}$ irgendwo
   der Schneemann, ¨er

e. Wer hat den Schneemann gebaut?
   bauen, baut, baute, hat ... gebaut
      jemand baut etwas$_{AKK}$

f. Was hat der Schneemann in der Hand und auf dem Kopf?
   jemand hat ewas$_{AKK}$ irgendwo
   der Reisigbesen, -
   der Hut, ¨e

4

a. Was tun Vater und Sohn im nächsten Sommer?
    gehen, geht, ging, ist ... gegangen
        jemand geht irgendwohin
    der Garten, ¨en
        in den Garten

b. Warum gehen Sie dorthin?
    wachsen, wächst, wuchs, ist ... gewachsen
        Um zu sehen, wie viel der Sohn gewachsen ist.
        ~ Um zu sehen, wie viel größer der Sohn jetzt ist.

c. Was ist aber geschehen?
    schnell, schneller, am schnellsten
    Der Baum ist viel schneller gewachsen als der Sohn.

Übungsteil

1.   Ergänzen Sie die Sätze! (Verbformen)

a.   Es _____ Herbst und Vater und Sohn _____ im Garten.

b.   Der Sohn _____ an einem Baum und der Vater _____ vor ihm.

c.   Er _____ einen Hammer in der rechten Hand und _____ einen Nagel zwischen den Lippen.

d.   Der Vater _____ seine Größe.

e.   Der Vater _____ sich nieder und _____ den Nagel in den Baum, genau an der Stelle,

wo er vorher _____ hat.

f.   Der Sohn _____ dabei und _____ zu.

g.   Es _____ jetzt Winter und die Blätter sind vom Baum _____.

h.   Im Garten _____ man einen Schneemann, den Vater und Sohn _____ haben.

i.   Im nächsten Sommer _____ Vater und Sohn in den Garten, um zu _____,

wie viel der Sohn _____ ist.

j.   Aber der Baum ist viel schneller _____ als der Sohn.

2.   Ergänzen Sie die Sätze! (Präpositionen und Artikel)

a.   Vater und Sohn sind _____ Garten.

b.   Der Sohn steht _____ ein_____ Baum.

c.   Der Vater steht _____ sein_____ Sohn und hält ein_____ Hammer _____ d_____ Hand.

d.   _____ d_____ Lippen hat er einen Nagel.

e.   Der Vater schlägt d_____ Nagel _____ d_____ Hammer _____ d_____ Baum, genau _____ d_____ Stelle,

wo er vorher gemessen hat.

f.   Es ist jetzt Winter und Baum steht da ganz _____ Blätter.

g.   Die Blätter sind _____ Baum gefallen.

h.   _____ Garten steht auch noch ein Schneemann _____ ein_____ Reisigbesen _____ d_____ Hand

und ein _____ Hut _____ d_____ Kopf.

i.   _____ nächsten Sommer gehen Vater und Sohn wieder _____ d_____ Garten.

3. **Wie gehen die Sätze weiter?**

a. Im Garten sieht man einen Schneemann,   um zu sehen, wie viel der Sohn gewachsen ist.

b. Der Vater misst,   die er vorher gemessen hat.

c. Sie gehen in den Garten,   wie groß sein Sohn ist.

d. Genau an der Stelle,   den Vater und Sohn gebaut haben.

4. **Wie kann man das auch sagen? (Nicht unbedingt identisch, aber fast.)**

a. Er misst seine Größe.

Er misst, _____.

b. Der Sohn sieht zu.

Der Sohn _____.

c. Der Baum steht da, ganz kahl.

Der Baum steht da, ganz _____.

d. … um zu sehen, wie viel er gewachsen ist.

… um zu sehen, wie viel _____ er ist.

5. **Wie heißen die Fragewörter?**

a. _____ sind Vater und Sohn? Im Garten.

b. _____ Jahreszeit ist es? Es ist Herbst.

c. _____ hält der Vater in der Hand? Einen Hammer.

d. _____ tut der Vater? Er hockt sich nieder.

e. _____ sieht man noch im Garten? Einen Schneemann.

f. _____ gehen sie dorthin? Um zu sehen, wie viel er gewachsen ist.

6. **Beantworten Sie alle Fragen des Arbeitsblattes schriftlich!**

7. **Erzählen Sie die Geschichte!**

Aufgaben und Aktivitäten

1. **Sie sind der Sohn und schreiben Ihrem Großvater davon!**

2. **Welche Sätze oder Satzteile passen in die Lücken?**

   (Leicht geänderter Text von Susanne aus Weinheim, 13 Jahre, Muttersprache Deutsch)
   (Ein Wörterbuch hilft sicher!)

   Bild 1 und 2:
   Letztes Jahr im Herbst gingen Vater Werner und Sohn Ralf _____ _____ Ralf sollte sich an den Baum stellen _____ Dann schlug er an der Stelle einen Nagel in den Baum. „So, im nächsten Frühling kommen wir dann noch mal wieder _____
   a. den sie im Frühling gepflanzt hatten.
   b. raus in den Garten zu dem Baum,
   c. und Vater Werner hielt ihm einen Hammer über den Kopf.
   d. und gucken, was daraus geworden ist.“

   Bild 3:
   In diesem Winter war es besonders kalt, _____ Vater Werner dachte schon, _____ weil der Schnee auf den Ästen so schwer war _____ Aber der Baum überlebte den Winter.
   a. und es schneite ganz schön.
   b. und er vielleicht umfallen könnte.
   c. der Baum würde das nicht aushalten,

   Bild 4:
   Dann im Frühling gingen die beiden wieder zum Baum. _____ um zu sehen, _____ Und ganz erschrocken sagte er: _____ Vater Werner, der sich am Anfang auch gewundert hatte, sagte: _____ der Baum ist gewachsen.“ _____
   a. Dann lachten beide los.
   b. „Nein, du bist nicht geschrumpft,
   c. wie viel er gewachsen war.
   d. „Vater, guck mal, ich bin ja geschrumpft!“
   e. Ralf stellte sich hin,

3. **Bringen Sie die Sätze und Satzteile in eine richtige Reihenfolge!**

   (Text der 13-jährigen Sina aus Erftstadt, Deutschland)
   (Die Satzzeichen sind hier eine gute zusätzliche Hilfe!)

   Vorgeschichte:
   a. aber ich habe da eine Idee.“
   b. Der Sohn grübelte vor sich hin
   c. „ja, also, hm“, überlegte der Vater,
   d. Eines schönen Frühlingstages saßen Vater und Sohn auf der Terrasse und faulenzten.
   e. „Vater, wie viel wachse ich denn eigentlich im Jahr?“
   f. und fragte dann den Vater:
   g. „mein Sohn, das kann man nicht genau sagen,

Bild 1 und 2:

a. „Was hast du vor?
b. stellte er seinen Sohn an den Baum und schlug einen Nagel genau über ihm in die Birke.
c. Der Vater packte den Sohn, Hammer und Nagel und ging in den Garten zu der Birke.
d. und dann sehen würden,
e. Der Vater musste lachen,
f. Willst du mich etwa an den Baum nageln?"
g. dass sie jetzt ein Jahr warten müssten
h. Voller Angst fragte der Sohn:
i. Er erklärte dem Sohn,
j. wie viel er gewachsen sei.

Bild 4:

a. sein Sohn wäre geschrumpft,
b. erschrak der Vater fürchterlich.
c. gingen Vater und Sohn erneut in den Garten zu der Birke,
d. Nachdem Sommer, Herbst und Winter vergangen waren,
e. und als der Sohn sich an den Baum lehnte,
f. unterhalb des Kopfes des Sohnes sondern oberhalb.
g. Der Nagel fand sich nicht wie erwartet
h. aber der Baum war in dem einen Jahr gewachsen.
i. der Vater war der Ansicht,
j. und der Frühling kam,
k. und als er sich wieder beruhigt hatte,

4. **Vergleichen Sie die Geschichten von Susanne und Sifra!**

Was gefällt Ihnen? Was gefällt Ihnen nicht? (Gruppenarbeit!)

5. **Mit welchen Mitteln macht e. o. plauen die verschiedenen Jahreszeiten deutlich?**

6. **In der Bildgeschichte steckt ein botanischer Fehler! Erklären Sie ihn!**

7. **Dann spielen Sie den Vater und erklären dem Sohn den Fehler!**

8. **Über Geschmack lässt sich nicht streiten!**

Ein paar Meinungen:
„Ich finde die Geschichte gut, weil sie lustig ist. ... Außerdem ist sie gut gemalt." *(Susanne, 13 Jahre)*
„Mir gefällt die Geschichte, weil die Zeichnungen sehr lustig gestaltet sind." *(Sina, 13 Jahre)*
„Die Bilder haben mir nicht gefallen. Schlecht gemalt. Diese Bilder sind nur interessant für Kinder unter drei Jahren." *(Michael, 16 Jahre)*

Und was meinen Sie? Und warum?

Ein Jahr später   77

10. Der verlorene Sohn

Titel: verlieren, verliert, verlor, hat ... verloren
jemand verliert jemanden oder etwasAKK

der Sohn, ¨e
der verlorene Sohn (eine sprichwörtliche Redensart nach der Bibel: Lukas 15, 11–32; Text siehe S. 84)

1

a. Was ist passiert?
passieren, passiert, passierte, ist passiert
Was ist passiert? ~ Was ist geschehen?
spielen, spielt, spielte, hat ... gespielt
jemand spielt etwasAKK (Fußball, Tennis, Klavier, Geige)
der Fußball, ¨e

b. Wo hat der Sohn Fußball gespielt?
das Zimmer, -; im Zimmer

c. Was hat er zerbrochen?
die Fensterscheibe, -n
zerbrechen, zerbricht, zerbrach, hat ... zerbrochen
jemand zerbricht etwasAKK

d. Was tut der Sohn?
tun, tut, tat, hat ... getan
jemand tut etwas
davon·laufen, läuft davon, lief davon, ist ... davongelaufen
jemand läuft davon ~ jemand sucht das Weite

e. Wer rennt hinter ihm her?
der Vater, ¨
rennen, rennt, rannte, ist ... gerannt ~ laufen
jemand rennt hinter jemandem her, um ... zu + *(Infinitiv)*

f. Warum rennt der Vater hinter ihm her?
bestrafen, bestraft, bestrafte, hat ... bestraft
jemand bestraft jemanden für etwasAKK
jemand bestraft jemanden dafür, dass ...

g. Lässt der Sohn sich fangen?
fangen, fängt, fing, hat ... gefangen
jemand fängt jemanden
lassen, lässt, ließ, hat ... gelassen
Er lässt sich nicht fangen.

2

a. Was tut der Vater danach?
setzen, setzt, setzte, hat ... gesetzt
jemand setzt sich irgendwohin
das Sofa, -s; aufs Sofa
lesen, liest, las, hat ... gelesen
jemand liest etwasAKK
die Zeitung, -en

b. Warum setzt er sich aufs Sofa?
um die Zeitung zu lesen

Arbeitsblatt

c. Was tut er aber ständig?
>ständig ~ immer wieder
>die Uhr, -en
>sehen, sieht, sah, hat ... gesehen
>>jemand sieht auf etwas$_{AKK}$

d. Wie viel Uhr ist es schon?
>es ist schon sieben Uhr

3

a. Was tut der Vater, als der Sohn nach einigen Stunden immer noch nicht zurückgekehrt ist?
>tun, tut, tat, hat ... getan
>>jemand tut etwas
>als *(= temporale Konjunktion)*
>zurück·kehren, kehrt ... zurück, kehrte ... zurück, ist ... zurückgekehrt ~ zurückkommen
>werden, wird, wurde, ist ... geworden
>>jemand wird irgendwie
>unruhig ↔ ruhig
>laufen, läuft, lief, ist ... gelaufen
>>jemand läuft hin und her

b. Um wie viel Uhr ist der Sohn immer noch nicht zurückgekehrt?

c. Was fürchtet der Vater vielleicht?
>fürchten, fürchtet, fürchtete, hat ... gefürchtet
>>jemand fürchtet, dass ...
>passieren, passiert, passierte, ist ... passiert
>>jemandem passiert etwas$_{NOM}$ (nichts)
>>ihm ist etwas passiert

4

a. Was macht der Vater schließlich?
>schließlich ~ endlich ~ zuletzt
>verlassen, verlässt, verließ, hat ... verlassen
>>jemand verlässt etwas$_{AKK}$

b. Wie läuft er durch die Straßen?
>laufen, läuft, lief, ist ... gelaufen
>die Straße, -n
>rufen, ruft, rief, hat ... gerufen
>laut ↔ leise
>>laut rufend
>der Hut, ¨e
>die Hand, ¨e
>>den Hut in der Hand
>der Mantel, ¨
>>mit offenem Mantel

c. Nach wem ruft er?
>jemand ruft nach jemandem

d. Was fürchtet er?
     er fürchtet, dass
     zu·stoßen, stößt ... zu, stieß ... zu, ist ... zugestoßen
        jemandem stößt etwas zu ~ jemandem passiert etwas

_____ 5

a. Wie kehrt der Vater nach Haus zurück?
     verzweifelt ~ jemand weiß nicht, was er tun soll
     ganz ~ völlig
     jemand ist verzweifelt / niedergeschlagen / deprimiert

b. Was passiert, als der Vater nach Haus zurückkehrt?
     gerade, als ... ~ genau in dem Moment, als ...
     zurück·kommen, kommt ... zurück, kam ... zurück,
     ist ... zurückgekommen
     fliegen, fliegt, flog, ist ... geflogen
        etwas kommt geflogen
     die Fensterscheibe, -n
        durch die andere Fensterscheibe

c. Wo trifft der Ball den Vater?
     der Kopf, ⸚e; am Kopf
     treffen, trifft, traf, hat ... getroffen
        etwas trifft jemanden irgendwo

d. Was hat der Sohn also in der Zwischenzeit gemacht?
     kommen, kommt, kam, ist ... gekommen
        nach Haus kommen
     wieder Fußball spielen

_____ 6

a. Warum kommt der Sohn aus dem Haus?
     holen, holt, holte, hat ... geholt
        jemand holt etwas_AKK
        um den Ball zu holen

b. Was tut der Vater?
     die Freude
     das Herz, -en
     drücken, drückt, drückte, hat ... gedrückt
        jemand drückt jemanden voller Freude an sein Herz.

c. Weiß der Sohn, wie ihm geschieht?
     wissen, weiß, wusste, hat ... gewusst
     geschehen, geschieht, geschah, ist ... geschehen
        jemand weiß nicht, wie ihm geschieht

d. Warum ist der Vater so froh?
     froh ~ glücklich
     weil _(= kausale Konjunktion)_
     wieder·finden, findet ... wieder, fand ... wieder,
     hat ... wiedergefunden
        jemand findet jemanden wieder

Übungsteil

1. **Ergänzen Sie die Sätze? (Verbformen)**

   a. Der Sohn hat im Zimmer Fußball _____ und dabei eine Fensterscheibe _____.

   b. Der Sohn _____ davon, er _____ das Weite!

   c. Der Vater _____ hinter ihm her, um ihn dafür zu _____, dass er das _____ hat.

   d. Aber der Sohn _____ sich nicht fangen.

   e. Der Vater _____ sich aufs Sofa, um die Zeitung zu _____.

   f. Aber er _____ ständig auf die Uhr und es _____ schon sieben Uhr.

   g. Als der Sohn nach einigen Stunden immer noch nicht _____ ist, _____ der Vater das Haus

   und _____ laut rufend durch die Straßen.

   h. Er _____ nach seinem Sohn, denn er _____, dass ihm etwas _____ ist.

   i. Gerade als der Vater völlig verzweifelt nach Haus _____, kommt ein Fußball durch die andere

   Fensterscheibe _____ und _____ ihn am Kopf.

   j. Der Sohn _____ aus dem Haus, um den Ball zu _____.

   k. Der Sohn _____ nicht, wie ihm _____, als der Vater ihn voller Freude an sein Herz _____.

   l. Der Vater _____ so froh, weil er seinen Sohn _____ hat.

2. **Ergänzen Sie die Sätze! (Präpositionen und Artikel)**

   a. Der Sohn hat _____ Zimmer Fußball gespielt.

   b. Der Vater setzt sich _____ Sofa.

   c. Er sieht immer wieder _____ die Uhr.

   d. Als der Sohn _____ einigen Stunden immer noch nicht zurückgekehrt ist, wird der Vater unruhig.

   e. Er läuft laut rufend _____ die Straßen.

   f. Er ruft _____ seinem Sohn.

   g. Als der Vater _____ Haus zurückkommt, kommt ein Fußball _____ die andere Fensterscheibe geflogen.

   h. Der Ball trifft den Vater _____ Kopf.

   i. Der Sohn kommt _____ _____ Haus.

   j. Der Vater drückt ihn voller Freude _____ sein Herz.

3. **Wie kann man das auch sagen? (Nicht unbedingt identisch, aber fast.)**

a. Was ist passiert?   Was ist _____?

b. Der Sohn läuft davon.   Der Sohn _____.

c. Der Sohn läuft sehr schnell.   Der Sohn _____.

d. Der Vater sieht immer wieder auf die Uhr.   Der Vater sieht _____ auf die Uhr.

e. Nach einigen Stunden ist der Sohn immer noch nicht zurückgekommen.

Nach einigen Stunden ist der Sohn immer noch nicht _____.

f. Schließlich verlässt der Vater das Haus.   _____ verlässt der Vater das Haus.

g. Er fürchtet, dass ihm etwas passiert ist.   Er fürchtet, dass ihm etwas _____.

h. Der Vater ist niedergeschlagen.   Der Vater ist _____.   Der Vater ist _____.

i. Genau in dem Moment, als er zurückkommt, ...   _____, als er zurückkommt, ...

j. Der Vater ist glücklich.   Der Vater ist _____.

4. **Wie gehen die Sätze weiter?**

a. Der Sohn hat im Zimmer Fußball gespielt | um die Zeitung zu lesen.

b. Der Vater läuft hinter ihm her, | verlässt der Vater das Haus.

c. Er will ihn dafür bestrafen, | kommt ein Fußball geflogen.

d. Der Vater setzt sich aufs Sofa, | weil er ihn wiedergefunden hat.

e. Als der Sohn nach einigen Stunden noch nicht zurück ist, | und dabei eine Fensterscheibe zerbrochen.

f. Gerade als der Vater nach Haus kommt, | um ihn zu bestrafen.

g. Der Sohn kommt aus dem Haus, | dass er das getan hat.

h. Der Sohn weiß nicht, | um den Ball zu holen.

i. Der Vater ist so froh, | wie ihm geschieht.

5. **Beantworten Sie alle Fragen des Arbeitsblattes schriftlich!**

6. **Erzählen Sie die Geschichte!**

Aufgaben und Aktivitäten

1. **Sie sind der Vater und schreiben Ihrer Frau, die gerade auf Kur ist, was gestern passiert ist.**

2. **Lesen Sie das Gleichnis aus der Bibel (Lukas 15, 11–32)!**

Der verlorene Sohn
Ein Mann hatte zwei Söhne. Der jüngere von ihnen sagte zu seinem Vater: Vater, gibt mir das Erbteil, das mir zusteht. Da teilte der Vater das Vermögen auf. Nach wenigen Tagen packte der jüngere Sohn alles zusammen und zog in ein fernes Land. Dort führte er ein zügelloses Leben und verschleuderte sein Vermögen. Als er alles durchgebracht hatte, kam eine große Hungersnot über das Land und es ging ihm sehr schlecht. Da ging er zu einem Bürger des Landes und drängte sich ihm auf; der schickte ihn aufs Feld zum Schweinehüten. Er hätte gerne seinen Hunger mit den Futterschoten gestillt, die die Schweine fraßen, aber niemand gab ihm davon. Da ging er in sich und sagte: Wie viele Tagelöhner meines Vaters haben mehr als genug zu essen und ich komme hier vor Hunger um. Ich will aufbrechen und zu meinem Vater gehen und zu ihm sagen: Vater, ich habe mich gegen den Himmel und gegen dich versündigt. Ich bin nicht mehr wert dein Sohn zu sein; mach mich zu einem deiner Tagelöhner. Dann brach er auf und ging zu seinem Vater. Der Vater sah ihn schon von Weitem kommen und er hatte Mitleid mit ihm. Er lief dem Sohn entgegen, fiel ihm um den Hals und küsste ihn. Da sagte der Sohn: Vater, ich habe mich gegen den Himmel und gegen dich versündigt. Ich bin nicht mehr wert dein Sohn zu sein. Der Vater aber sagte zu seinen Knechten: Holt schnell das beste Gewand und zieht es ihm an, steckt ihm einen Ring an die Hand und zieht ihm Schuhe an. Bringt das Mastkalb her und schlachtet es; wir wollen essen und fröhlich sein. Denn mein Sohn war tot und lebt wieder; er war verloren und ist wiedergefunden worden. Und sie begannen, ein fröhliches Fest zu feiern.
Sein älterer Sohn war unterdessen auf dem Feld. Als er heimging und in die Nähe des Hauses kam, hörte er Musik und Tanz. Da rief er einen der Knechte und fragte, was das bedeuten solle. Der Knecht antwortete: Dein Bruder ist gekommen und dein Vater hat das Mastkalb schlachten lassen, weil er ihn heil und gesund wiederbekommen hat. Da wurde er zornig und wollte nicht hineingehen. Sein Vater aber kam heraus und redete ihm gut zu. Doch er erwiderte dem Vater: So viele Jahre schon diene ich bei dir und nie habe ich gegen deinen Willen gehandelt; mir aber hast du nie auch nur einen Ziegenbock geschenkt, damit ich mit meinen Freunden ein Fest feiern konnte. Kaum aber ist der hier gekommen, dein Sohn, der dein Vermögen mit Dirnen durchgebracht hat, da hast du für ihn das Mastkalb geschlachtet. Der Vater antwortete ihm: Mein Kind, du bist immer bei mir und alles, was mein ist, ist auch dein. Aber jetzt müssen wir uns doch freuen und ein Fest feiern; denn dein Bruder war tot und lebt wieder; er war verloren und ist wiedergefunden worden.

3. **Was berechtigt e. o. plauen zur Verwendung dieses Titels?**

Fußball

4.   Vergleichen Sie die beiden Geschichten.
     Welche gefällt Ihnen besser? Und warum?
     (Diskussion)

e. o. plauen

Eine kurze Biografie

Erich Ohser wird 1903 in einem kleinen Dorf im Vogtland geboren. Sein Vater ist ein ruhiger, besonnener Zollbeamter, seine Mutter eine heitere und lebhafte Hausfrau.

1909 kommt er in die Volksschule und beginnt schon früh zu zeichnen. 1917 beendet Ohser seine Schulzeit und beginnt eine Schlosserlehre. Aus dieser Zeit stammt die früheste Zeichnung, die erhalten blieb. (Abbildung 1)

Abbildung 1

Nach der Lehre 1920 besucht Ohser fünf Jahre die „Akademie für graphische Künste und Buchgewerbe" in Leipzig von der Vorklasse bis zur Meisterklasse. (Abbildung 2)

Er unternimmt zahlreiche Studienreisen in die Umgebung und ins Ausland. Mit neunzehn Jahren hat er seine erste kleine Ausstellung in der Stadt Plauen. Ohser nimmt an vielen Wettbewerben teil und gewinnt fast immer den ersten Preis. 1930 heiratet Ohser Marigard Bantzer, eine Kommilitonin.

Erich Ohser und seine Freunde Erich Kästner und Erich Knauf übersiedeln dann 1927/29 in die „Reichshauptstadt" Berlin. Dort und während seiner Reisen nach Litauen (1928), Paris (1929), Moskau und Leningrad (1930) findet Ohser seinen eigenen Stil. Er skizziert, illustriert Bücher und zeichnet politisch-satirische Themen für Zeitungen und Zeitschriften. (Abbildung 3)

Abbildung 2

Vom Elternhaus und seinen Erfahrungen in der Lehre und in der Akademie beeinflusst, bejaht Ohser die Grundsätze der Sozialdemokratie. Seine Beobachtungen, Erfahrungen, Gespräche in Moskau verfestigen seine Abneigung gegen den Kommunismus. Den Machtaufschwung der NSDAP sieht er kritisch und zeichnet ihn mit scharfen Strichen. (Abbildung 4)

Im Januar 1933 kommt Hitler an die Macht und schon im Mai 1933 werden die Arbeiten und Werke kritischer Gegner der neuen Machthaber verboten oder sogar öffentlich verbrannt. Die von Erich Ohser illustrierten Werke Erich Kästners gehören dazu.

Erich Kästner darf in Deutschland nicht mehr veröffentlichen. Erich Knauf verliert seine Stellung als Lektor bei der Büchergilde Gutenberg. Erich Ohser erhält im Januar 1934 ein totales Berufsverbot. Die schönen Berliner Jahre sind endgültig vorüber.

Abbildung 3

Aber das Leben geht weiter und die Geschichte von „Vater und Sohn" beginnt. Nach allerlei Manövern bekommt Ohser die Erlaubnis „unpolitische Zeichnungen" unter einem Pseudonym zu veröffentlichen. (e. o. plauen – das sind die Anfangsbuchstaben seines Namens und die Stadt, in der er seine Kindheit verbracht hat.) Zwischen Dezember 1934 und Dezember 1937 erscheinen in der auflagenstarken „Berliner Illustrirten" Woche für Woche die Abenteuer der beiden beliebten Figuren und finden begeisterte Aufnahme. Friedrich Luft schreibt: „Er war ein Zeichner von Eigenart und Genie. In

einer ekelhaften, lügnerisch ‚total' politisierten Epoche gelang es ihm,
... eine kleinen Oase fast unbekümmerter Menschlichkeit zu schaffen."
Und woher nimmt er die schöpferische Kraft dazu? Seine Witwe antwortet:
„Es war seine Liebe zu den Menschen!" Und wie sein Vater ihn geliebt hat,
so liebt er seinen Sohn Christian. (Abbildung 5)

Abbildung 4

„Vater und Sohn" werden vermarktet: Puppen, Schokoladenfiguren,
Porzellanfiguren, Spielzeuge, Abziehbilder auf Servietten, Aschenbechern,
Broschen, Anstecknadeln, Keksdosen, Sandspielformen und Buchstützen
zeigen die beiden. Im Fasching, in Varieté-Shows, in Propaganda-Aktionen
erscheinen sie.

In den folgenden Jahren zeichnet er noch einige Bildergeschichten, illustriert wieder Bücher (1938–43), zeigt auf Ausstellungen in Essen (1937) und
Dortmund (1940) Landschaftszeichnungen.

1940 erscheint die im Presseamt der NSDAP entwickelte neue Wochenzeitung
„Das Reich", die im In- und Ausland zeigen sollte, wie liberal die national-
sozialistische Staatsführung doch sei. Namhafte Kritiker der NSDAP werden
für die Mitarbeit herangezogen und sagen zu in der Meinung, hier sei ein
Forum der Meinungsbildung, das zu unterstützen sich lohne. Ohser ist einer
davon, er liefert politische Karikaturen und bekommt einen festen Vertrag.

Abbildung 5

Ohser, der wegen eines Gehörleidens und den Folgen einer Knieverletzung
nicht zur Wehrmacht eingezogen wurde, arbeitet unter immer schwieriger
werdenden Umständen weiter. Die anfänglich vergleichsweise liberale
Atmosphäre wird unterdrückt, den Kriegserfolgen folgen katastrophale
Niederlagen, die Fliegerangriffe in der Heimat nehmen zu, Nahrungsmittel
und Kleidung werden rationiert.

Eine Äußerung Ohsers aus der Zeit ist überliefert: „Seine wahre Meinung
zu äußern, hat keinen Zweck, weil man umgebracht wird." Im privaten Kreis
und auch öffentlich kritisiert er die Machthaber. Nach der Ausbombung des
Ateliers im November 1943 verlassen Ohsers Frau und Sohn Berlin. Ohser
bleibt dort und zieht zusammen mit seinem Freund Erich Knauf in ein leer
stehendes Haus. Ein Mitbewohner des Hauses denunziert Erich Knauf und
Erich Ohser wegen „defätistischer" Äußerungen am 22. Februar 1944 und
beide werden am 28. März verhaftet. Die Hauptverhandlung ist für den
6. April angesetzt. In der Nacht davor nimmt sich Erich Ohser das Leben.
Knauf wird zum Tode verurteilt und das Urteil wird am 2. Mai 1944 voll-
streckt.

(Text nach Detlev Laubach: Erich Ohser (e. o. plauen) und die „Vater und Sohn"-
Bildgeschichten. Konstanz: Südverlag 1982)

Großvater – Vater – Sohn

Erich Ohser (e. o. plauen) – Eine Geschichte von seinem Vater

Es war diesem redlichen Beamten (Zollbeamter im Grenzdörfchen Unter-gettengrün bei Adorf im Vogtland) doch ein kleiner Stachel in der Seele geworden, als er sah, dass sein Sohn als Zeichner – von welchem Beruf der Alte zunächst nur sehr wenig gehalten hatte – nicht nur künstlerisch, sondern auch wirtschaftlich Erfolg hatte. Ja, als die Vater-und-Sohn-Geschichten von e. o. plauen in einem sensationellen Siegeszug die Welt eroberten, fragte sich der Vater, ob denn so etwas wirklich von ungefähr kommen könne. Und er erinnerte sich, dass er selbst als Knabe eigentlich auch rechte Lust zum Zeichnen gehabt hätte. Aber dafür war damals keine Zeit gewesen. Harte Arbeit in der Kindheit schon hatte wohl die doch nicht urkräftig genug quellende Anlage unwichtig erscheinen lassen ...

Den heißen Glanz werde ich nie vergessen, der in Ohsers Augen aufleuchtete, als er uns erzählte, was nun folgt. In aller Stille hatte sich sein Vater einen Raum im Keller seines Hauses sorgfältig ausgeweißt. Dann hatte er, in wochenlanger Arbeit, die schönen weißen Wände über und über mit Zeich-nungen bedeckt. Tiere, Kinder, Straßenszenen, Bilder aus dem Familienleben, Bäume, Blumen, Stadt und Land. Als der berühmte Sohn dann mit dem Enkel, dem Modell seiner Sohnfigur, das nächste Mal in den Ferien nach Hause kam, führte ihn der Vater, still vor sich hinlächelnd, in den Keller und weidete sich an der Überraschung des „großen" Sohnes. Der stand fassungs-los vor dem Wunder. „Ich wollte bloß mal sehen, woher du's hast", sagte der Alte. (L. E. Reindl)

(aus: e. o. plauen, Der Vater und seine Freunde. Geleitwort von Ludwig Emanuel Reindl. Sanssouci Verlag, Zürich 1954)

Das vorliegende Büchlein **Deutsch mit Vater und Sohn** zeigt, was man mit den Bildgeschichten im Unterricht alles machen kann. Aber es gibt natürlich noch viel mehr Möglichkeiten und deshalb finden Sie im Folgenden in kleiner Auswahl einige praktische Vorschläge und bibliografische Hinweise von AutorInnen, die sich mit diesem Thema beschäftigt haben. Informieren Sie sich, es macht Spaß!

Der Struwelpeter von Heinrich Hoffmann

Gudula Mebus, Andreas Pauldrach, Marlene Rall, Dietmar Rösler: Sprachbrücke – Deutsch als Fremdsprache, Band 2, Klett Edition Deutsch, Stuttgart 1989, 29.

Beverly Moser, Dolly J. Young, Darlene F. Wolf: Schemata – Lesestrategien. Holt, Rinehart and Winston, New York 1997, 123–128.

Plisch und Plum von Wilhelm Busch

Jürgen Lieskounig: „Auf die Kunst folgt der Profit" Die Bildergeschichten von Wilhelm Busch im Unterricht Deutsch als Fremdsprache – Überlegungen und Anregungen. Zielsprache Deutsch 1, 1989, 2–9.

Vater und Sohn von e. o. plauen

Maria da Luz Videira Murta: „Vater und Sohn" im Anfängerunterricht. Eine Hörverstehensübung und ein Schreibauftrag. Fremdsprache Deutsch 5, Oktober 1991, 46–47.

Renate Löffler: Über Bild und Rolle zum Sprachhandeln. Überlegungen und praktische Beispiele zur Arbeit mit Rollenspiel und Bildergeschichte im Deutschunterricht mit ausländischen Studenten. Zielsprache Deutsch 2, 1979, 23–33.

Linus und Luzie von Charles M. Schulz

Franz Eppert: Erzählen und Diskurs. Grundsätzliches zum Einsatz von Kommunikationsgeschichten im Zielsprachenunterricht Deutsch als Fremdsprache. Jahrbuch Deutsch als Fremdsprache 4, 1978, 22–40.

Immer Ich! und anderes von Marie Marcks

Marie Marcks, Franz Eppert: Immer Ich! Eine Bildgeschichte für den Unterricht in Deutsch als Fremdsprache (Grundstufe). Max Hueber Verlag, Ismaning 1981.

Gerd Neuner, Theo Scherling, Reiner Schmidt, Heinz Wilms: Deutsch aktiv Neu, Lehrbuch GS1. Langenscheidt, München 1986, 183.

Literatur

Gudula Mebus, Andreas Pauldrach, Marlene Rall, Dietmar Rösler: Sprachbrücke Deutsch als Fremdsprache, Band 1, Klett Edition Deutsch 1987, 218.

Und dann findet man eine ganze Reihe von Aufgaben und Übungen zu folgenden Themen: Sich zu Bildern äußern, Bildbeschreibung, Bildgeschichte (im weitesten Sinn), Bild-Hör-Übung, Bildinhalte benennen, Bildsuchspiel, Bildvergleich in:

Ulrich Häussermann, Hans-Eberhard Piepho: Aufgaben-Handbuch Deutsch als Fremdsprache. Abriss einer Aufgaben- und Übungstypologie. iudicium verlag, München 1996.

Die bisher sicher reichhaltigste Fundgrube ist wohl bis heute immer noch:

Fremdsprache Deutsch Zeitschrift für die Praxis des Deutschunterrichts, Heft 5 Das Bild im Unterricht, Oktober 1991, mit folgenden Beiträgen:

1. Das Bild im Unterricht

2. Bilder für Lerner – Verstehensprobleme bei didaktischen Bildern

3. Wenn zwei dasselbe sehen

4. Nachdenken über Bilder – Gedanken eines Lehrbuchautors

5. Landeskunde mit Bildern – Wahrnehmungspsychologische und methodische Fragen bei der Entwicklung eines Deutschlandbildes durch Bilder

6. Bild als Sprechanlass – Das frei verwendete Bild als Unterrichtsmedium außerhalb einer vorgeschriebenen Progression

7. Bilder zum Mitmachen – Sprech- und Spielideen mit Bildern aus Zeitschriften

8. Die Comi(c)schen Bremer Stadtmusikanten – Ein Märchenplakat im Deutschunterricht

9. Alle Jahre wieder saust der Presslufthammer nieder – Unterrichtsvorschlag zu einer Bildmappe

10. „Vater und Sohn" im Anfängerunterricht

11. Deutsch mit Kunst – Bilder und Texte im Fremdsprachenunterricht auf neuen Wegen

12. Grammatik sehen – Visualisierung von Grammatik und Übungssequenzen

und ganz besonders auf den Seiten 60 und 61:

13. 1. Bücher zum Thema, 2. Hefte zum Thema, 3. Einzelne Arbeiten: Alle aufgeführten 19 Titel sind mit einem charakterisierenden Kurzkommentar versehen.

Zweisprachige Wörterbücher
Deutsch als Fremdsprache

Die zweisprachigen Wörterbücher Deutsch als Fremdsprache sind ganz
auf die Bedürfnisse des jeweiligen Muttersprachlers abgestimmt:

Sie vereinigen erfolgreich Komponenten des traditionellen einsprachigen
Wörterbuchs mit den Vorteilen des zweisprachigen und bieten dem
Lernenden somit das Beste aus zwei Welten – aktiven Spracherwerb und
die Gewissheit, das Wort richtig verstanden bzw. übersetzt zu haben.

Mit über 100.000 Stichwörtern, Beispielen, Konstruktionen und Wendungen,
40.000 Phonetikangaben und zahlreichen Infokästchen zur deutschen
Grammatik und Landeskunde.

Deutsch - Englisch / Englisch - Deutsch
Learner's Dictionary
1208 Seiten
ISBN 978–3–19–101736–1

Deutsch - Polnisch / Polnisch - Deutsch
Słownik dla uczących się języka niemieckiego
1140 Seiten
ISBN 978–3–19–001737–9

Deutsch - Spanisch / Spanisch - Deutsch
Diccionario Alemán como lengua extranjera
1136 Seiten
ISBN 978–3–19–001738–7

Hueber Freude an Sprachen

Reihe Leichte Literatur

So macht Literatur Spaß: spannend und einfach in gutem Deutsch auf verlässlichem A2-Niveau nacherzählt und mit farbigen Bildern ansprechend gestaltet.

Wahlweise erhältlich als Leseheft oder Hörbuch (Leseheft und Audio-CD mit Hörfassung).

Siegrieds Tod
nach Motiven aus dem Nibelungen-
lied
frei erzählt von Franz Specht

▶ Leseheft
  ISBN 978–3–19–011673–7
▶ Hörbuch (Leseheft und Audio-CD)
  ISBN 978–3–19–001673–0

Faust
Eine kleine Werkstatt zu einem
großen Thema von Franz Specht

▶ Leseheft
  ISBN 978–3–19–111673–6
▶ Hörbuch (Leseheft und Audio-CD)
  ISBN 978–3–19–101673–9

Fräulein Else
Arthur Schnitzlers Novelle
neu erzählt

▶ Leseheft
  ISBN 978–3–19–211673–5
▶ Hörbuch (Leseheft und Audio-CD)
  ISBN 978–3–19–201673–8

Rumpelstilzchen
Drei Märchen der Brüder Grimm
nacherzählt von Franz Specht

▶ Leseheft
  ISBN 978–3–19–311673–4
▶ Hörbuch (Leseheft und Audio-CD)
  ISBN 978–3–19–301673–7

Bergkristall
Eine Weihnachtsgeschichte
nach Adalbert Stifter
von Urs Luger nacherzählt
▶ Leseheft
  ISBN 978–3–19–501673–5
▶ Hörbuch (Leseheft und Audio-CD)
  ISBN 978–3–19–511673–2

Der zerbrochene Krug
nach Heinrich von Kleist
von Urs Luger nacherzählt

▶ Leseheft
  ISBN 978-3-19-411673-3
▶ Hörbuch (Leseheft mit Audio-CD)
  ISBN 978–3–19–401673–6

Die Reihe wird fortgesetzt.